ゆまに書房

書誌書目シリーズ125

八戸書籍縦覧所関連資料

——日本最古級の図書館・八戸市立図書館の源流

第三巻

弘観舎・八戸青年会関連資料

[編集・解説] 鈴木淳世

凡例

一、本書『八戸書籍縦覧所関連史料』は、近世八戸南部家家中の書物貸借組織から八戸市立図書館の直接の前身である明治七年（一八七四）創設の八戸書籍縦覧所に至る、蔵書目録を中心とする資料を影印版で集成し、解説を付したものである。

一、本書各巻に収録された資料は、すべて八戸市立図書館所蔵である。資料名、文書名、整理番号、形態、寸法（縦×横、単位㎜）を左記に記した。資料の通し番号①～⑮は、三巻の解説に対応している。詳しい書誌は、それをご覧いただきたい。

第一巻

①仲間書物預順　（戸来家〈新井田〉文書55）　横長帳　九六×一八二
②八戸仲間書物記　（荒木田家文書366）　竪帳　二三一×一七〇
③仲間書物目録　（中里家〈根城〉文書33）　横長帳　一七二×四八六
④書物改目録　（新宮家〈購入〉文書48）　横長帳　一二八×三四六
⑤（書物目録）　（遠山家旧蔵本1-1）　横半帳　一八二×一二二
⑥仲間書物預本牒　（八戸南部家文書10-14-0-0-10）　横長帳　一五四×三九六
⑦学校江御預御書物目録　（八戸南部家文書5-10-0-0-2）　竪帳　二四〇×一七二

第二巻

⑧御書籍目録　（八戸南部家文書2-12-0-0-13）　竪帳　三三四×二四二

⑨御書籍目録　（南部家旧蔵本1-4）　竪帳　二七二×一九〇

⑩瓦屋根御井楼御日記入ノ御場所　御本類御目録　（八戸南部家文書13-1-9-0-14）　横長帳　一二二×三三〇

第三巻

⑪（書籍縦覧場設立趣意書）　（逸見家〈購入〉文書10）　竪帳　二七四×一九六

⑫八戸書籍縦覧所　（新宮家〈購入〉文書63）　綴　二四二×一七〇

⑬弘観舎蔵書目録　（八戸市立図書館固有図書1-5）　竪帳　二六二×一九二

⑭八戸青年会寄贈書籍目録　（近・現代資料7）　竪帳　二七二×一九六

⑮八戸青年会員名簿　（八戸青年会文庫14-161）　竪帳　二三五×一六八

一、資料は、原則として表紙から裏表紙までを無修正で収録した。但し、影印版を作成するにあたっては、適宜縮小拡大を施した。

一、冊子に付箋が貼られてあったり、紙片が挟み込まれていた場合は、左記の原則によった。

①付箋が貼られている場合は、貼られている状態、次の見開き頁に付箋がめくられた状態を配した。また、貼られている紙片は場合によっては読めるように拡大して、次の見開き頁に示した。

② 冊子の見開き頁に挟み込まれている紙片は当該頁にあった状態、次の見開き頁にその紙片が除かれた状態を配し、紙片は①と同じく、場合により拡大して、紙片が除かれた状態の頁か、次の見開き頁に示した。

一、第一巻①の「仲間書物預順」は、付箋、はずれてしまった貼紙が多くかつ文字が小さいため、一丁の半分（一頁）を見開き頁に掲載し、丁番号と表・裏を偶数頁小口に記した。

一、第一巻⑤の「（書物目録）」は裏紙を使用しているため、原本そのものが甚だ読みにくい状態であり、後に天地を裁ち落として綴じられたため、不自然な部分もあることをご了解いただきたい。

一、第二巻の⑧と⑨は同一資料名のため、影印版の扉と柱には年次を入れて区別した。

一、一紙物や書状などの史料で版面に入らない場合は、いくつかの部分に分けて掲載した。その場合必ず一行はだぶらせた。

一、冊子の見開き中央のノドの部分がきつく中央が読みにくい資料はそれぞれ次の頁または前の頁に3ミリだぶらせて掲載した。そのため幾分見映えが悪くなったことはご了解下さい。

一、朱筆部分はなるべく朱筆であることを示した。

〔付記〕原本ご所蔵の八戸市立図書館には出版の御許可を賜り、製作上種々の便宜を図って頂きました。ここに特記して謝意を表します。

第三巻　目次

⑪ （書籍縦覧場設立趣意書）

今般縦覧場設立ノ儀ハ舊主家南部二代祖
直政君ノ遠慮ニ因リ大仲間ヲシテ萬巻ノ書
籍ヲ貯蓄セシメ百数十年来連綿今日ノ域ニ
到リ我八戸中普ク智識ヲ開ク者嗚呼誰カ此
恩澤ヲ蒙ラサル者アラムヤ然リ而シテ今又
榮信君ヨリ一莊舎ヲ賜フ之レニ遍シテ
弘観舎トス因テ以テ更ニ有志輩ヲ募リ百

有餘名ニ及フ然レトモ資金限アリ奚ゾ無數ノ
諸書ヲ購フ可キヲ得ンヤ且費用ニ供スルノ金無ク
永續ノ方法モ未タ曾テ定ラス社中之レカ爲ニ
苦心焦慮スル處也故ニ自今各月三日ノ會
合ヲ約シ以テ博ク諸君子ノ集議ヲ採リ
一ハ當社ノ繁榮ヲ謀リ一ハ草力ノ省フシテ
乏書ノ歎ナカラシメンヲ庶幾ス有志輩戮力

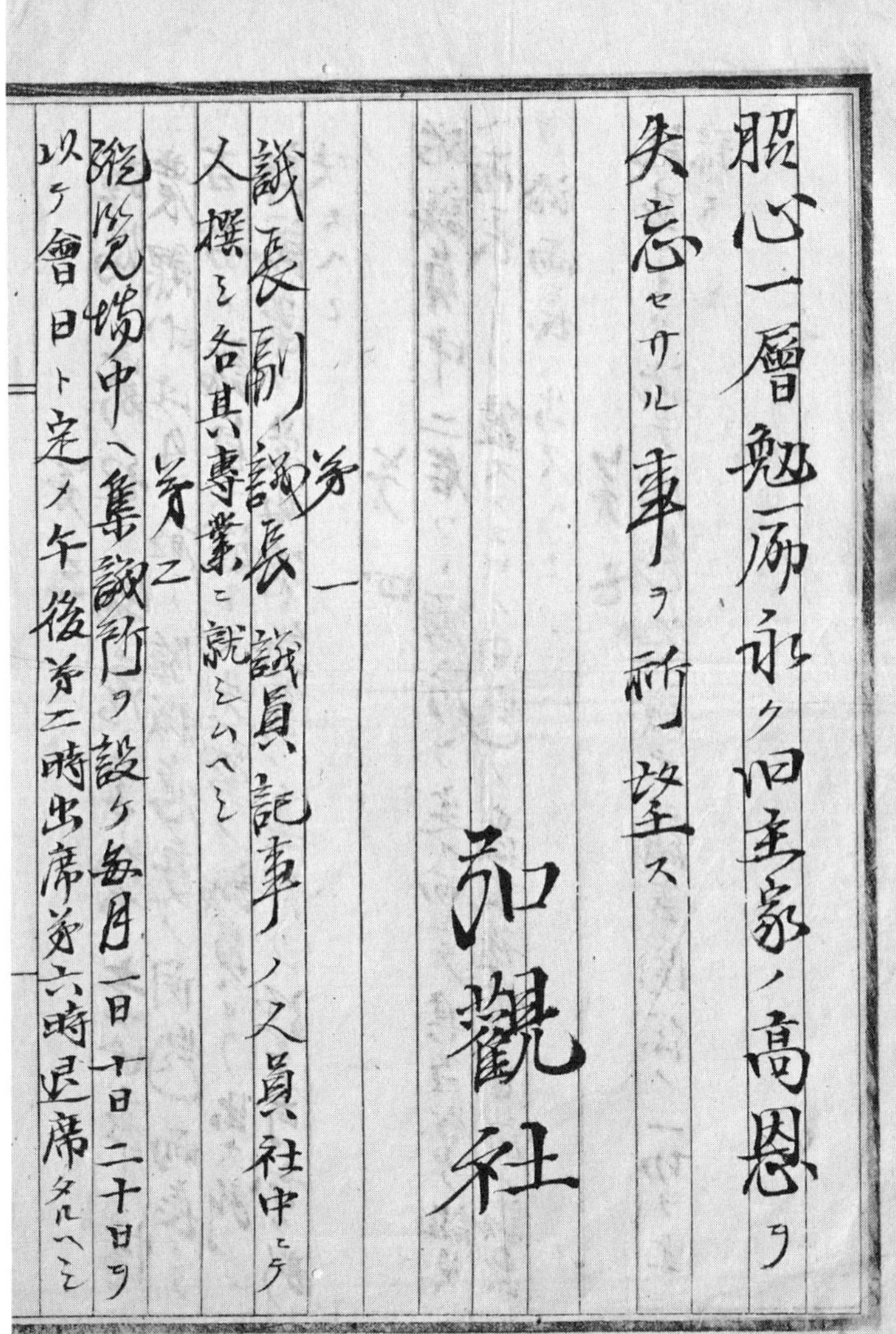

服心一層勉励永ク旧主家ノ高恩ヲ
失忘セサル事ヲ所望ス

知觀社

第一
議長副議長議員記事ノ人員社中ニテ
人撰ミ各其ノ専業ニ就シムヘシ

第二
縦覧場中ヘ集議所ヲ設ケ毎月一日十日二十日ヲ
以テ會日ト定メ午後第二時出席第六時退席タルヘシ

第三

経済窮理物産学芸並世事情農課等其事都テ臨機應変ノ問題両長ヨリ当務ノ議員ヘ渡シ又先務ノ議員ヨリ出ス所ノ評議案ヲ受取總議員ノ集評ヲ経テ可否ヲ断決スヘシ

第四

總議員中二名ツヽ順席ヲ定メ而シテ其当務ノ議員ヘ両長ヨリ渡ストコロノ問題ヲ受取後会ノ自評ノ議案ヲ添両長ヘ出スヘシ

第五

記事ハ総テ問題答議等議事関係ノ一切ヲ記録スヘシ

⑫ 八戸書籍縦覧所

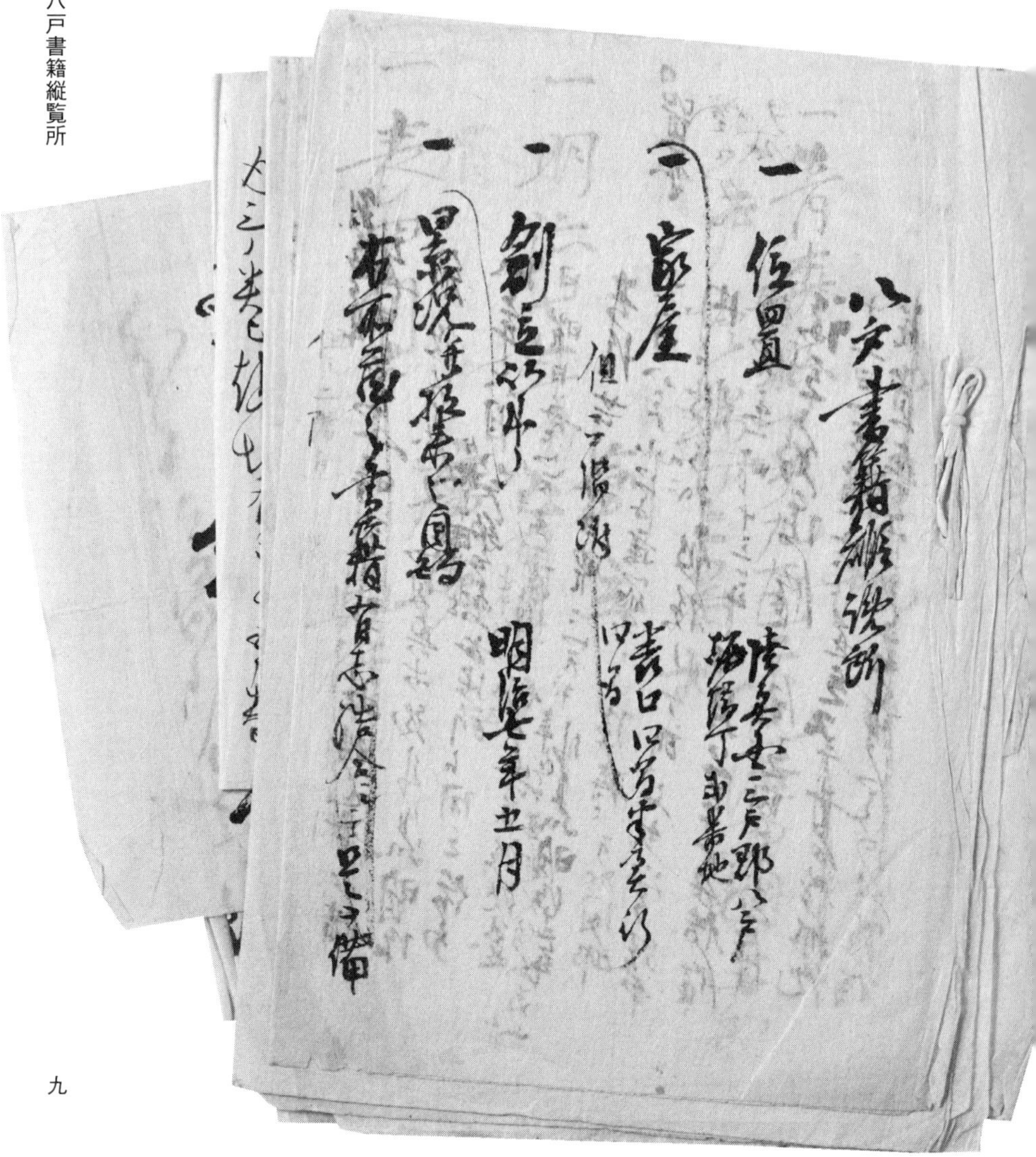
八戸書籍縦覧所

一 位置

一 家屋

明治七年五月

八戸書籍縦覧所

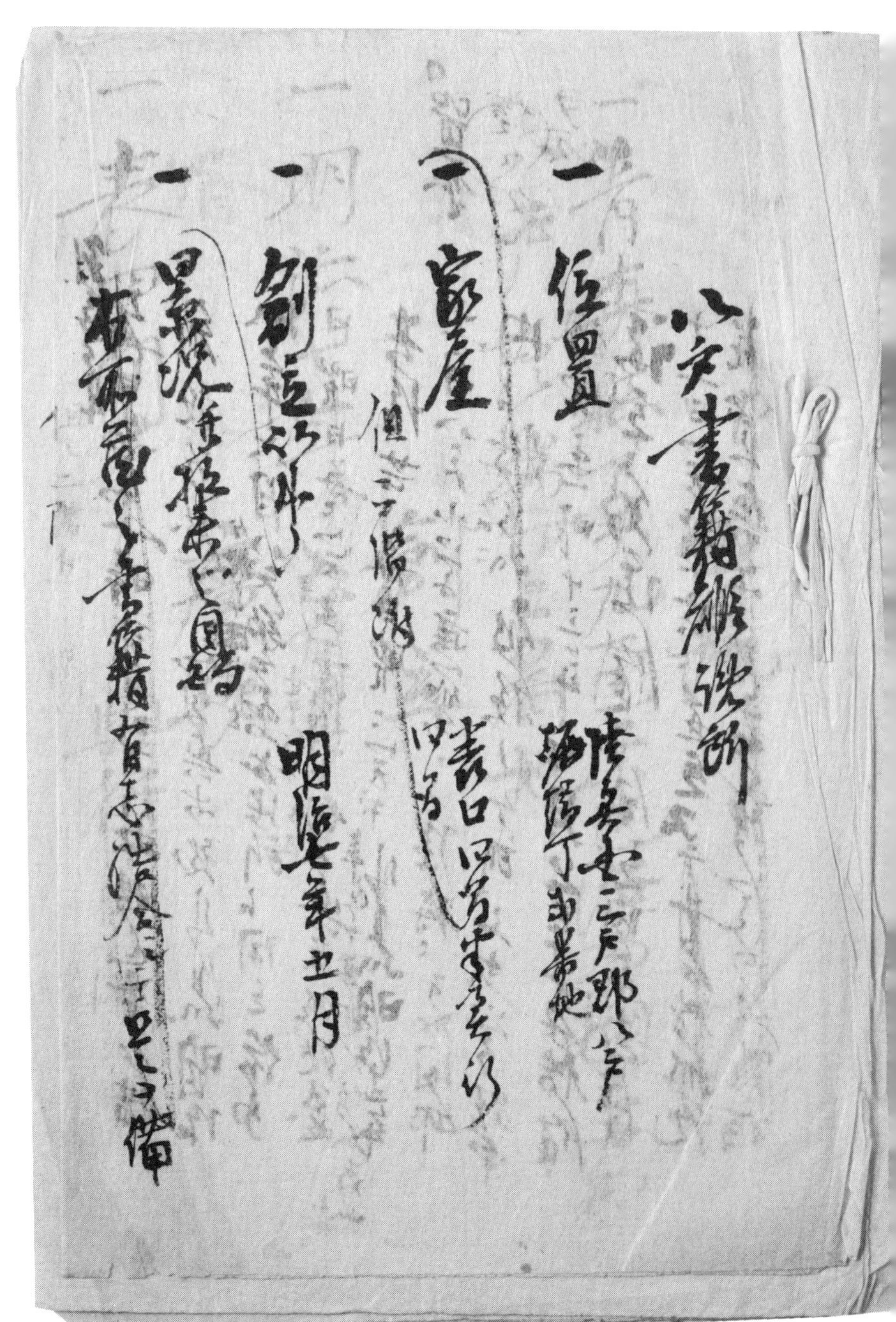

八戸書籍縦覧所

一　位置　陸奥国三戸郡八戸
堀端丁十番地

一　家屋　但シ借家　表口四間半奥行
四間

一　創立ノ年　明治七年五月

一　器械[illegible]椅子机等[illegible]

一　右縦覧ノ書籍ハ有志[illegible]ヲ備

日曜賞与
證之文
ヲ以

割注
毎日午前十時ヨリ午後四時迄書写精
勤従前支給之賞与出致候ニ付明治
六年六月八日給与金ヲ以テ同年六月迄
日曜日並ニ一六之日ヲ除キ毎日出勤ス
右條書之毎日曜ニ出席スル
十月八日小学運搬ニ付
内ニ勝手候ニ付候ノ十郎ニ於テ
桐家三郎十二日七月廿五日書写精勤
右之ヲ以テ給候同年十二月
十五日一六除キ書ニ並ニ五日
[illegible]

位地

一青森縣下第九大區三小區陸奥國三戸郡
八戸堀端丁二番地

創立

一明治七年五月廿日

廣捷

一表四間半　奥行四間
但シ二階付

日本書

一 貳百五拾七種 〆 六百九拾五帖
上 四百三拾八帖

外國書

一 貳百拾貳種 〆 五百四拾八帖
上 六拾四帖

日本字書

一 三拾五種
小 七拾弐帖
上 四百七拾五帖

明治十年七月

書籍縦覧所

八戸書籍縦覧所

位地

一 青森縣陸奥國三戸郡八戸堀端丁貳番地

創立

一 明治七年九月廿日

廣狹

一　表四間半　　奥行四間
　　　但二階付
　　　　書籍
一　千百九拾七部　　七千五百四拾六冊
　右之通
明治十三年二月
　　　書籍縦覧所

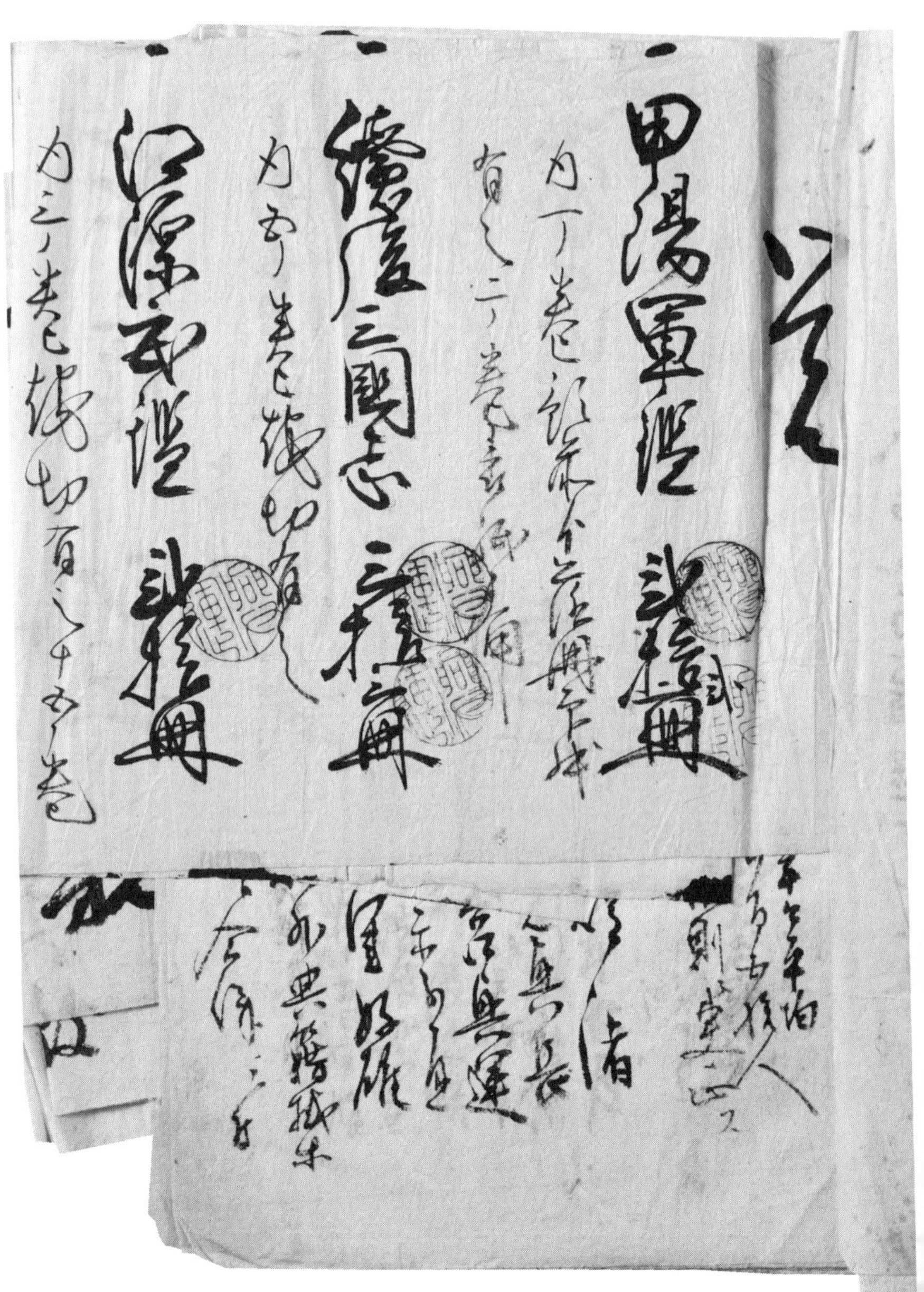

○「覚」以下の折り畳まれた一紙物は次頁以降に展開した。

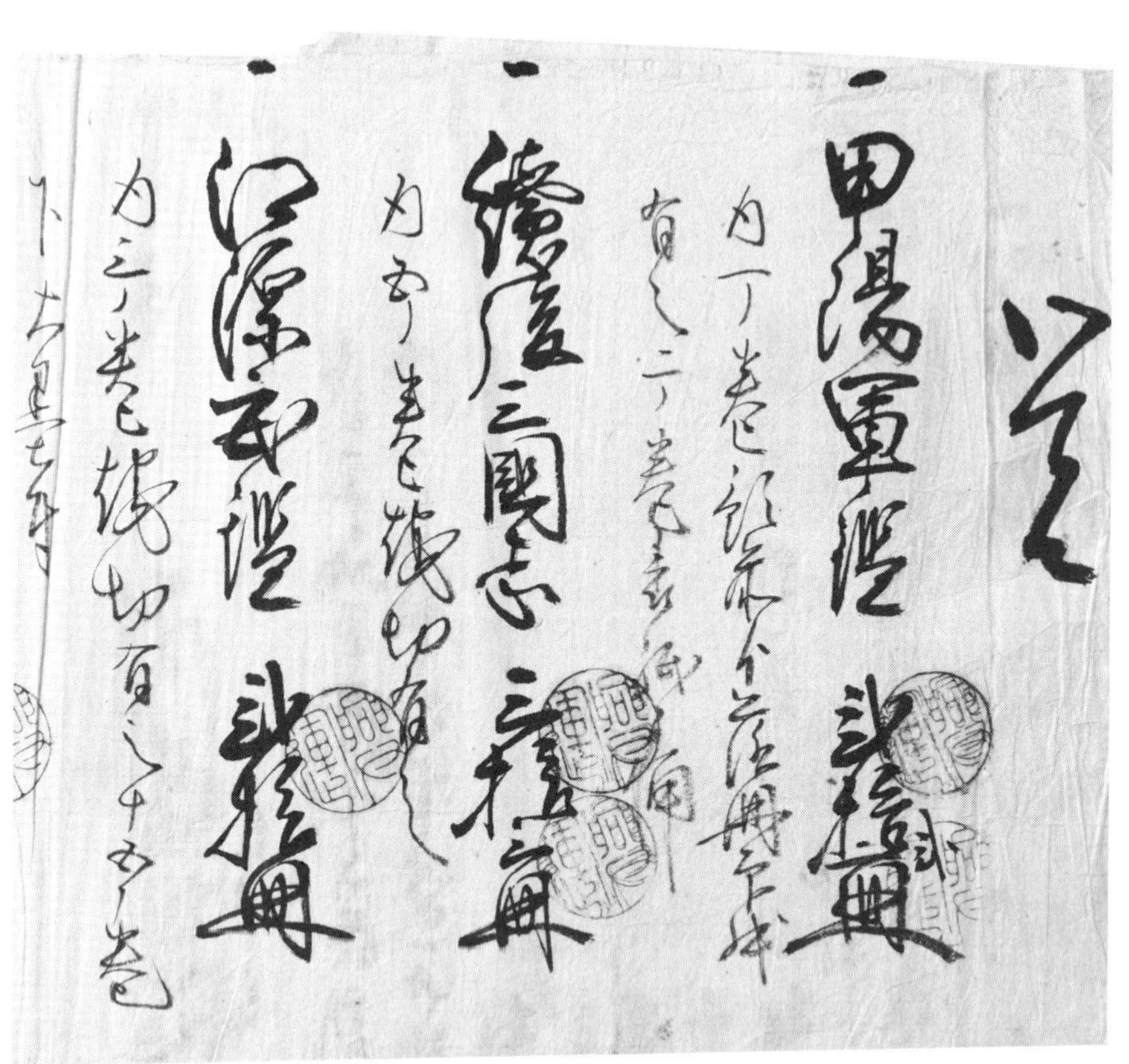

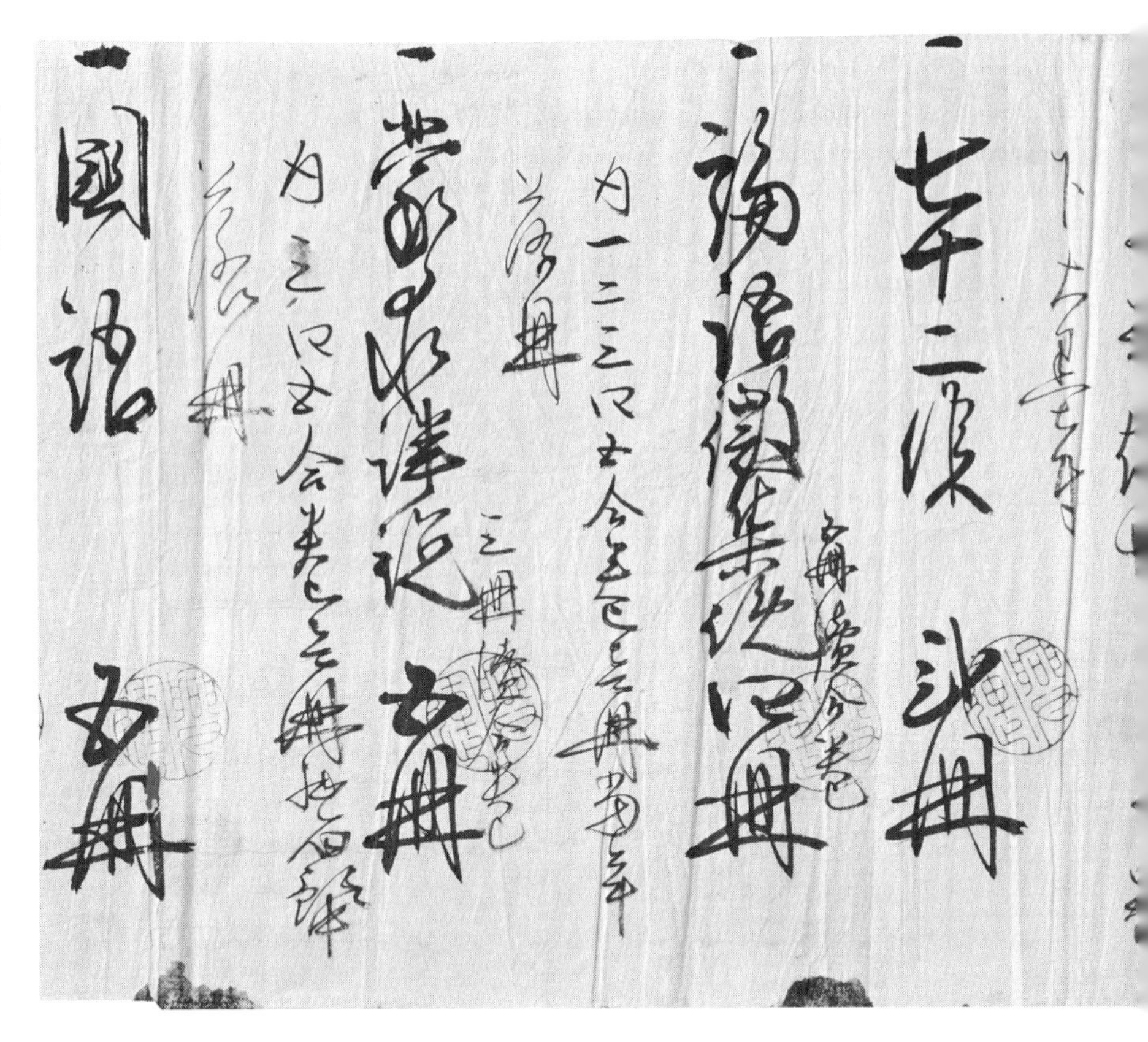

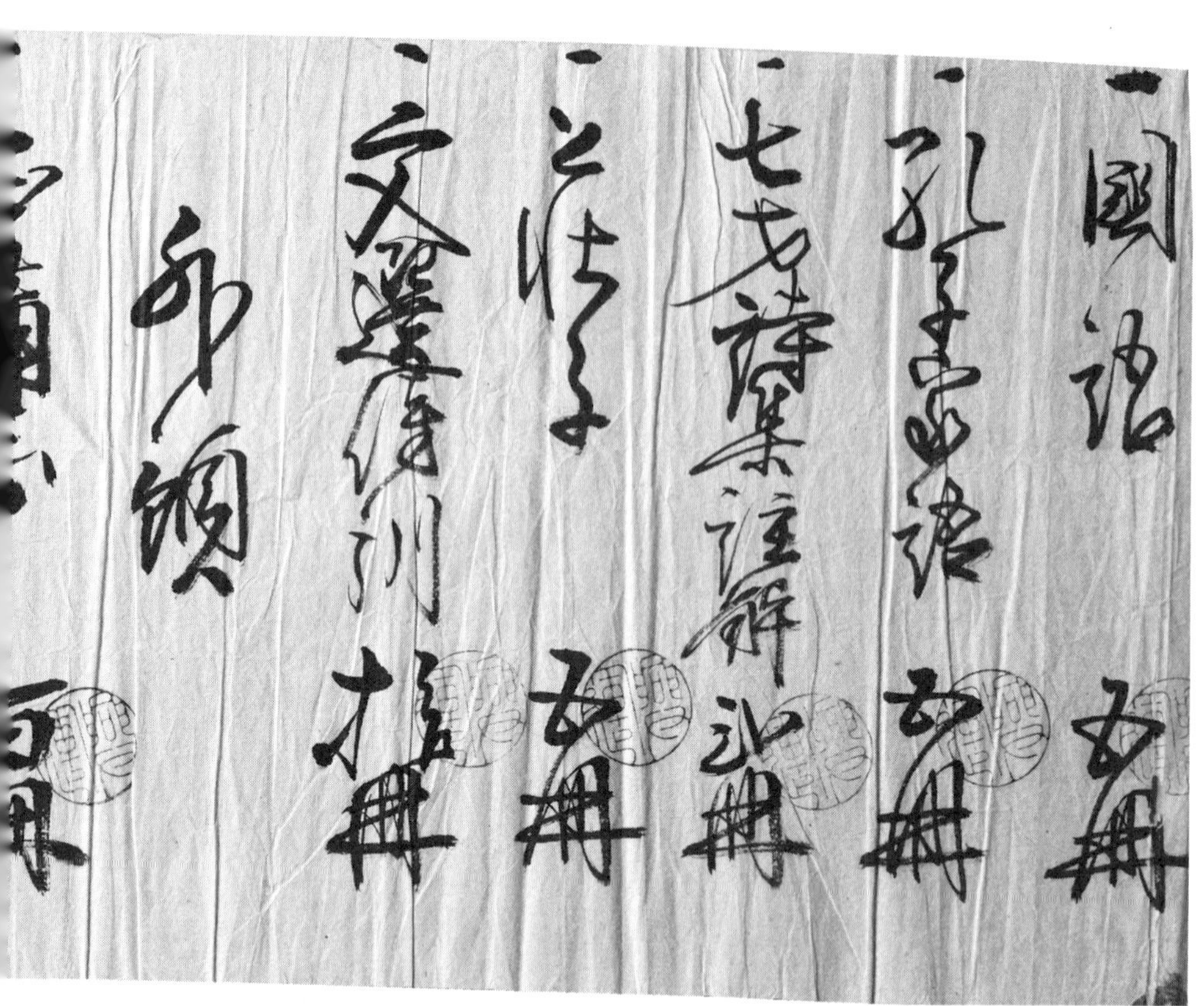
一 國語 五冊
一 孔子家語 五冊
一 七才詩集注解 弐冊
一 荘子 五冊
一 文選傍訓 拾冊

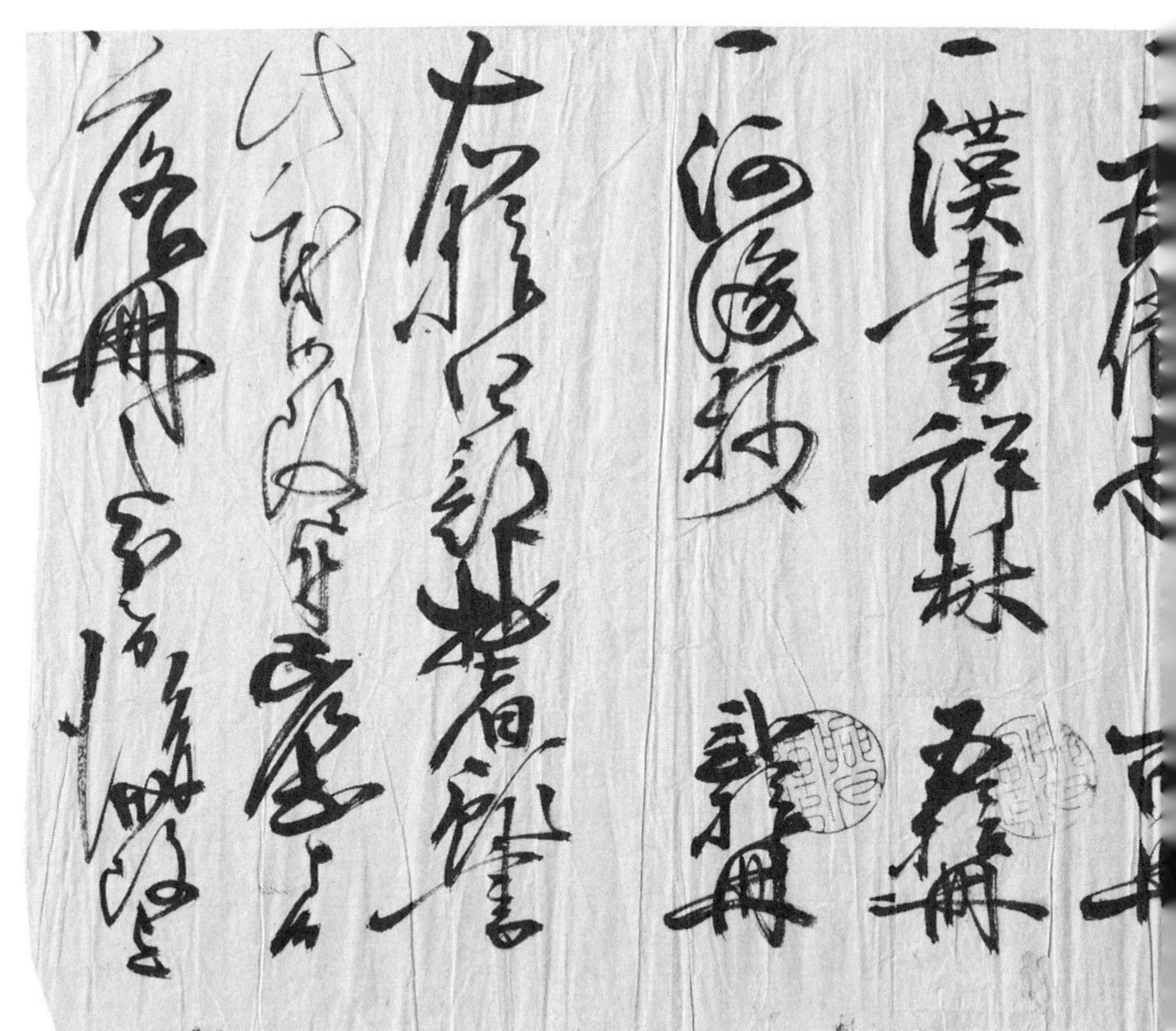

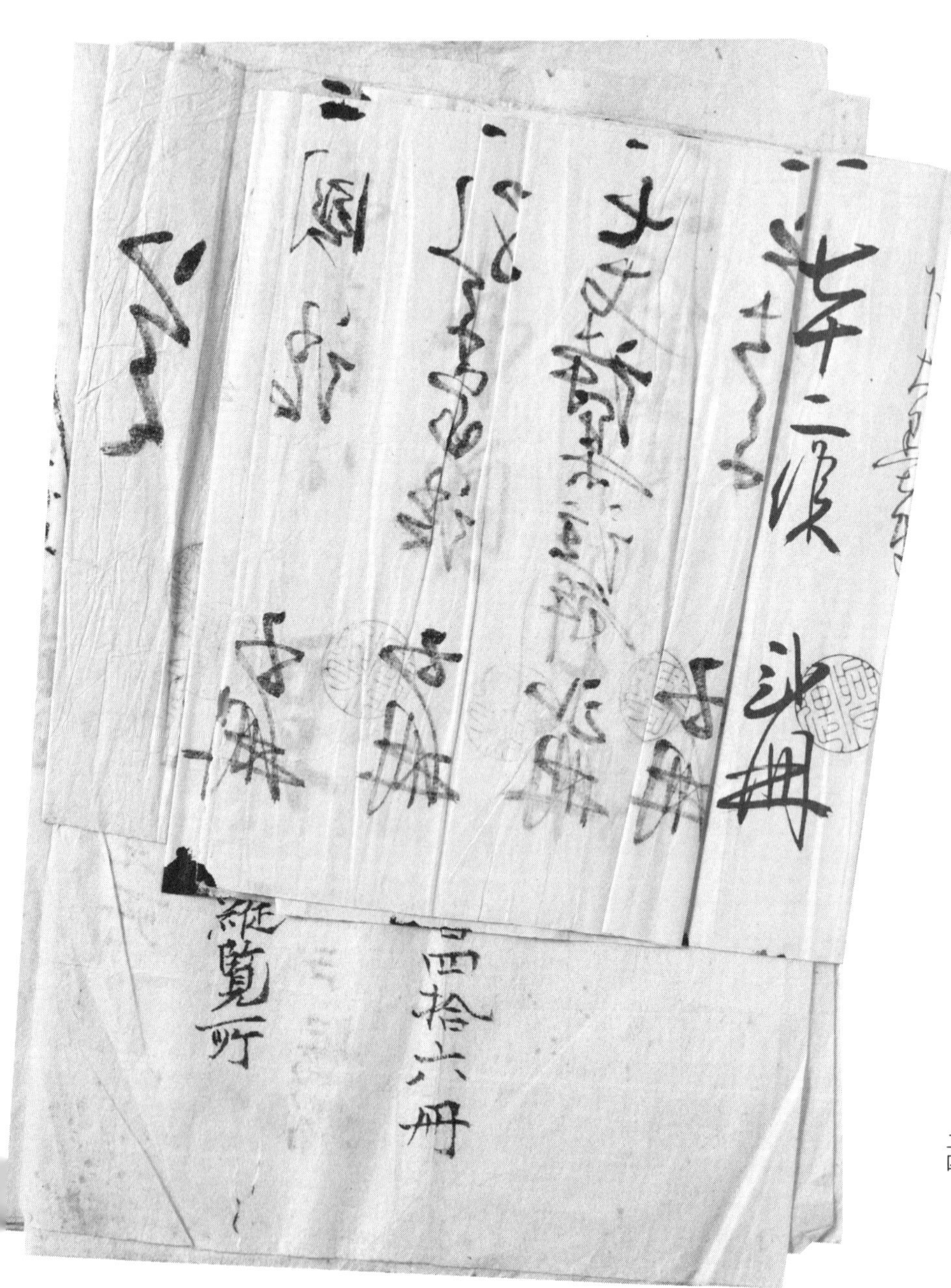
縦覧所
四拾六冊

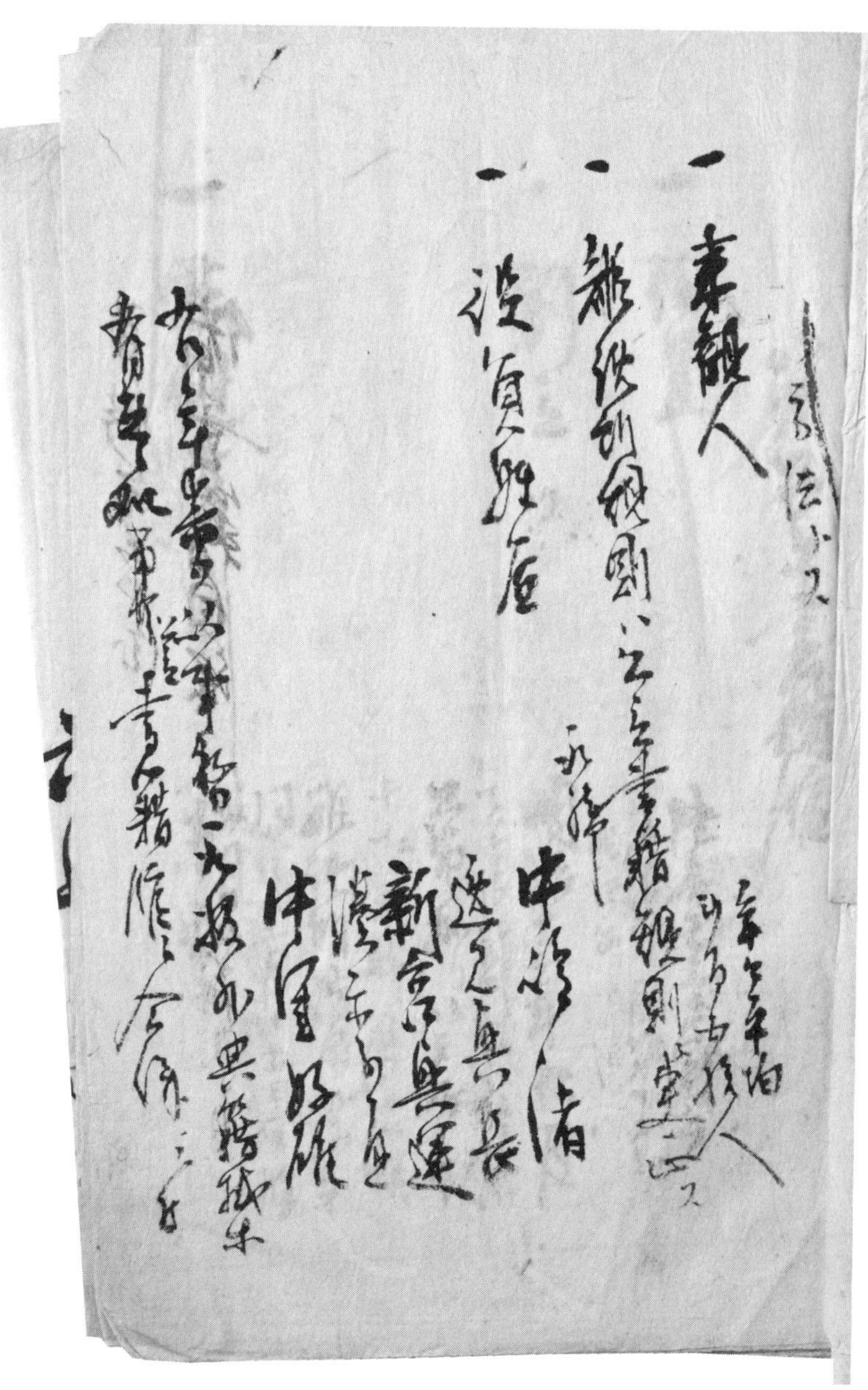

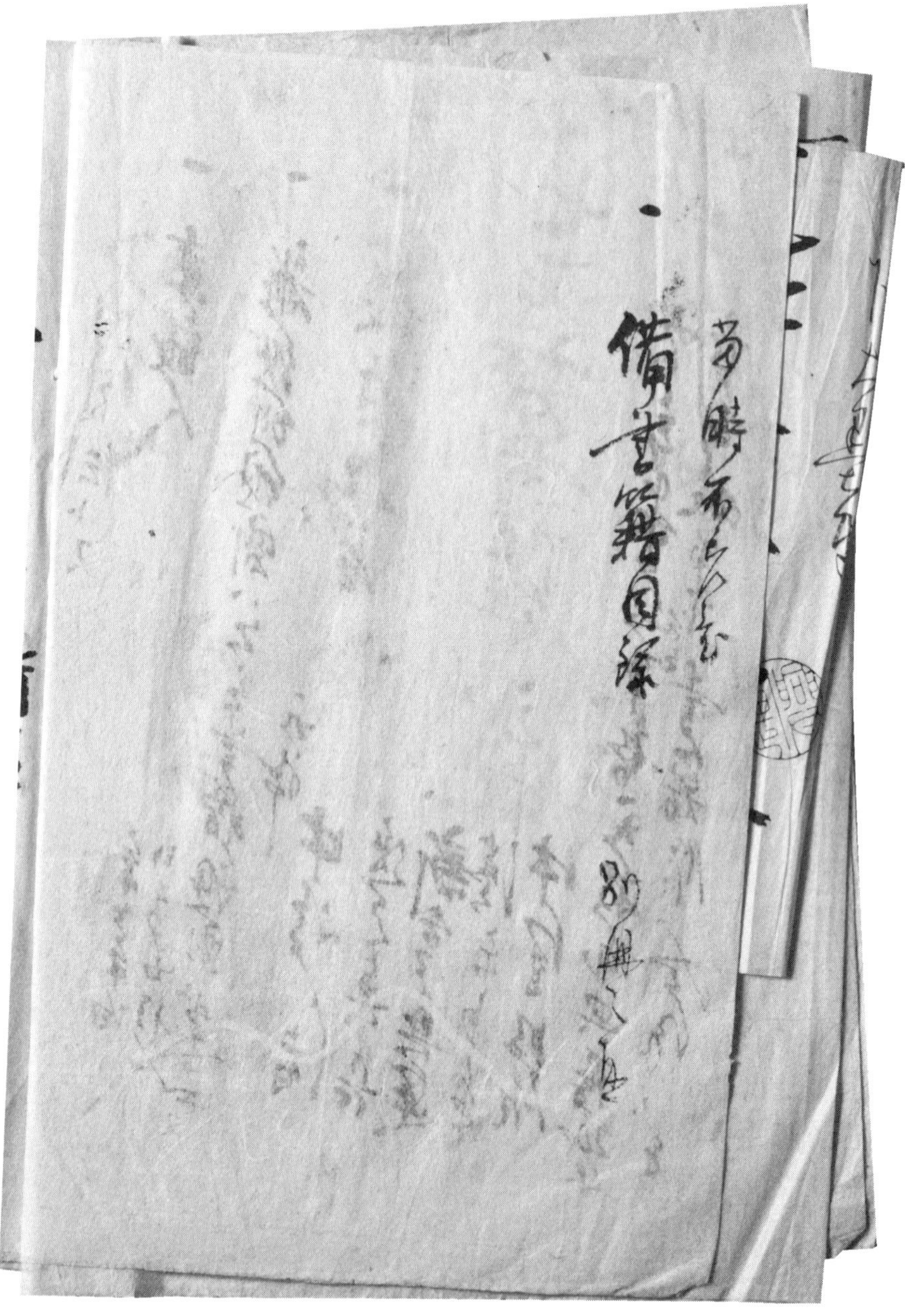

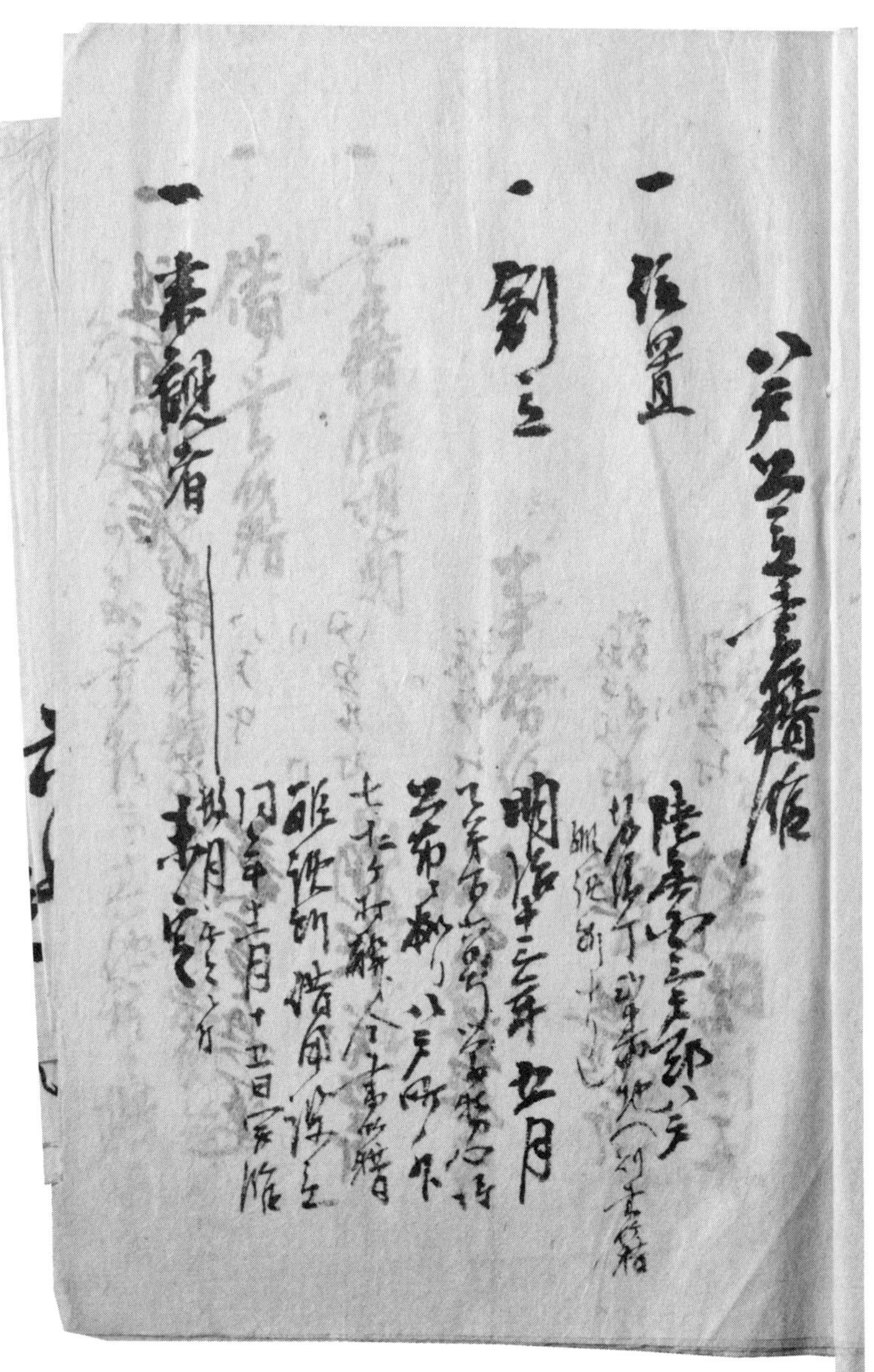

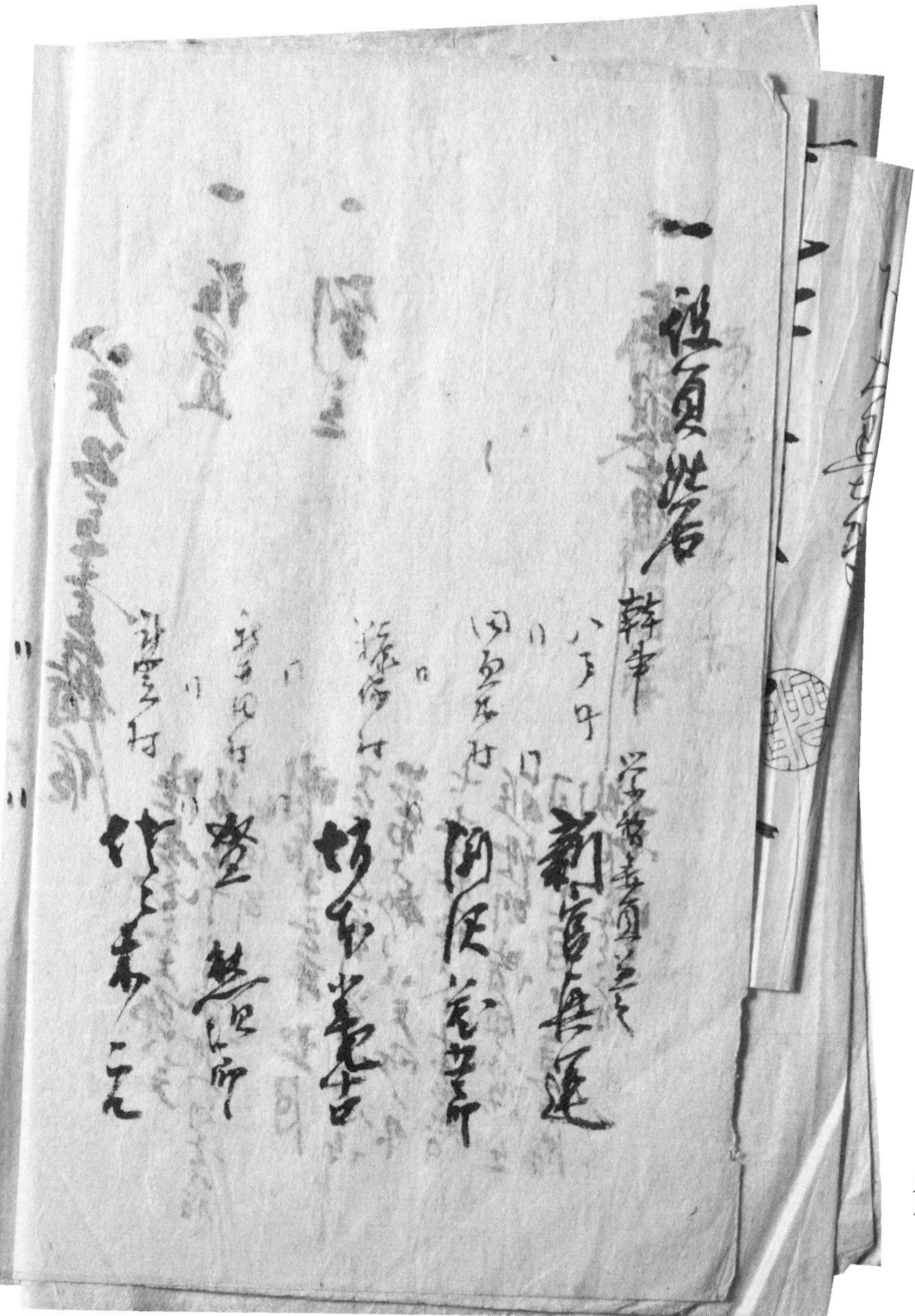

一 書籍縦覧所

一 備書籍

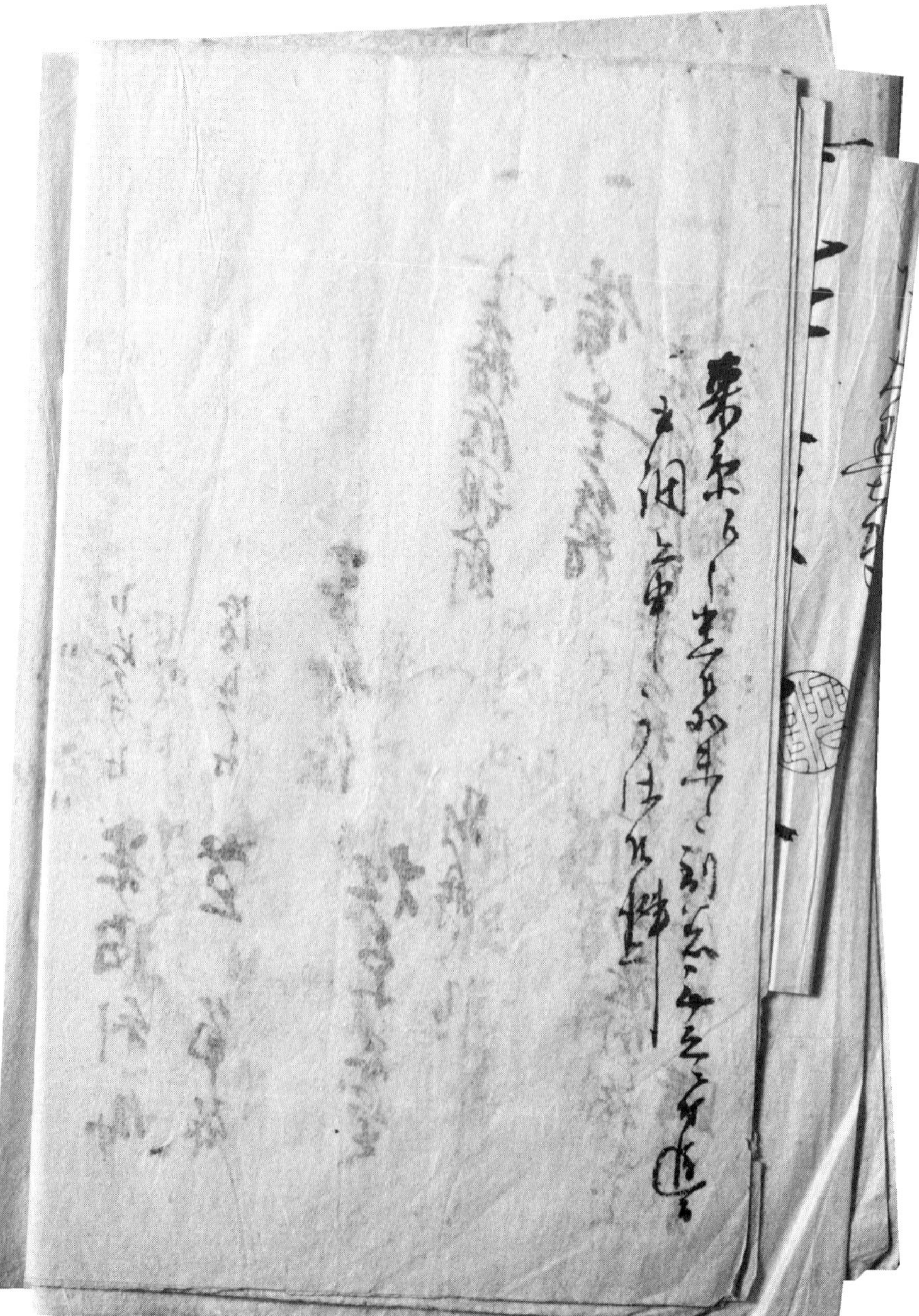

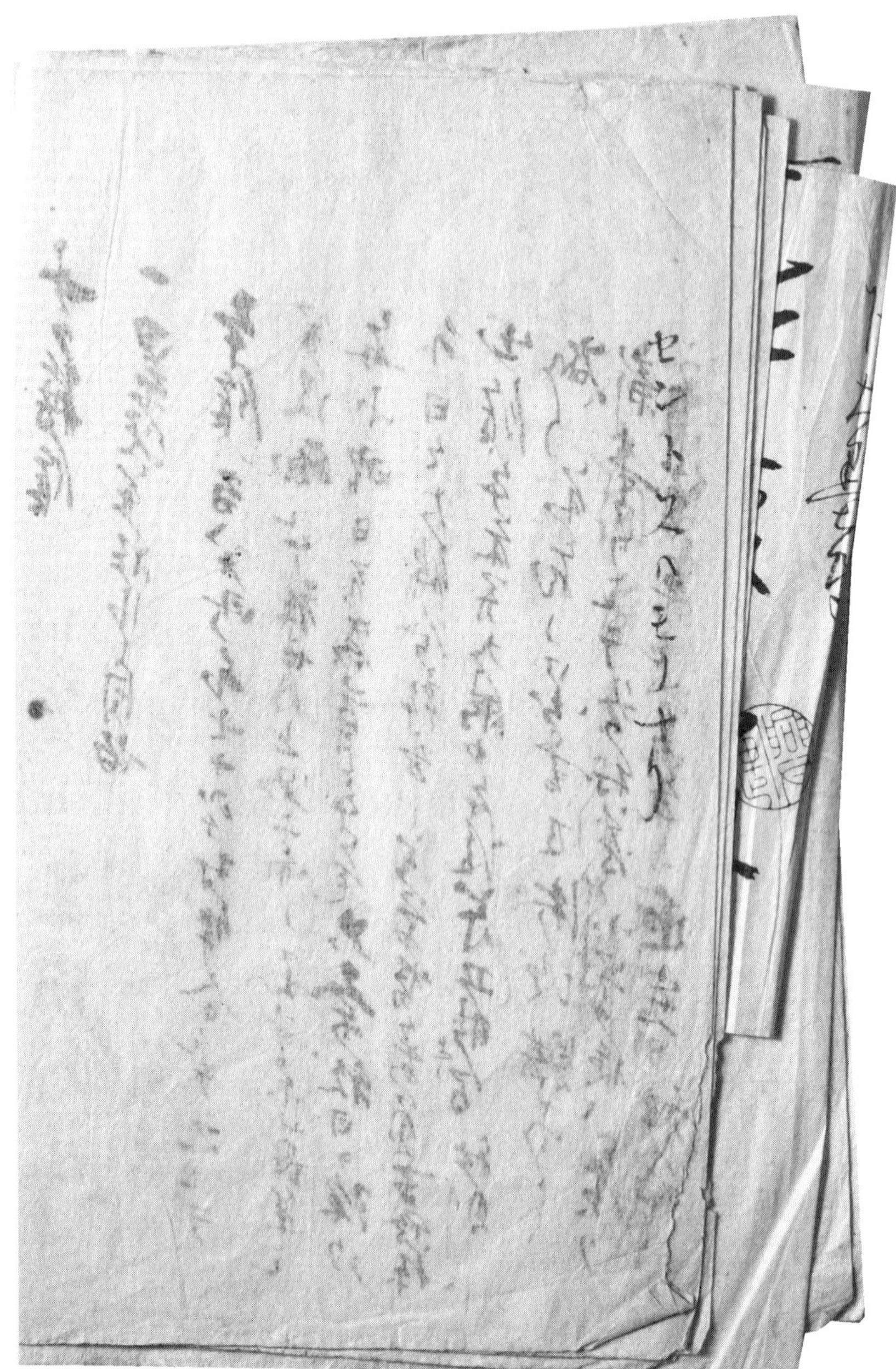

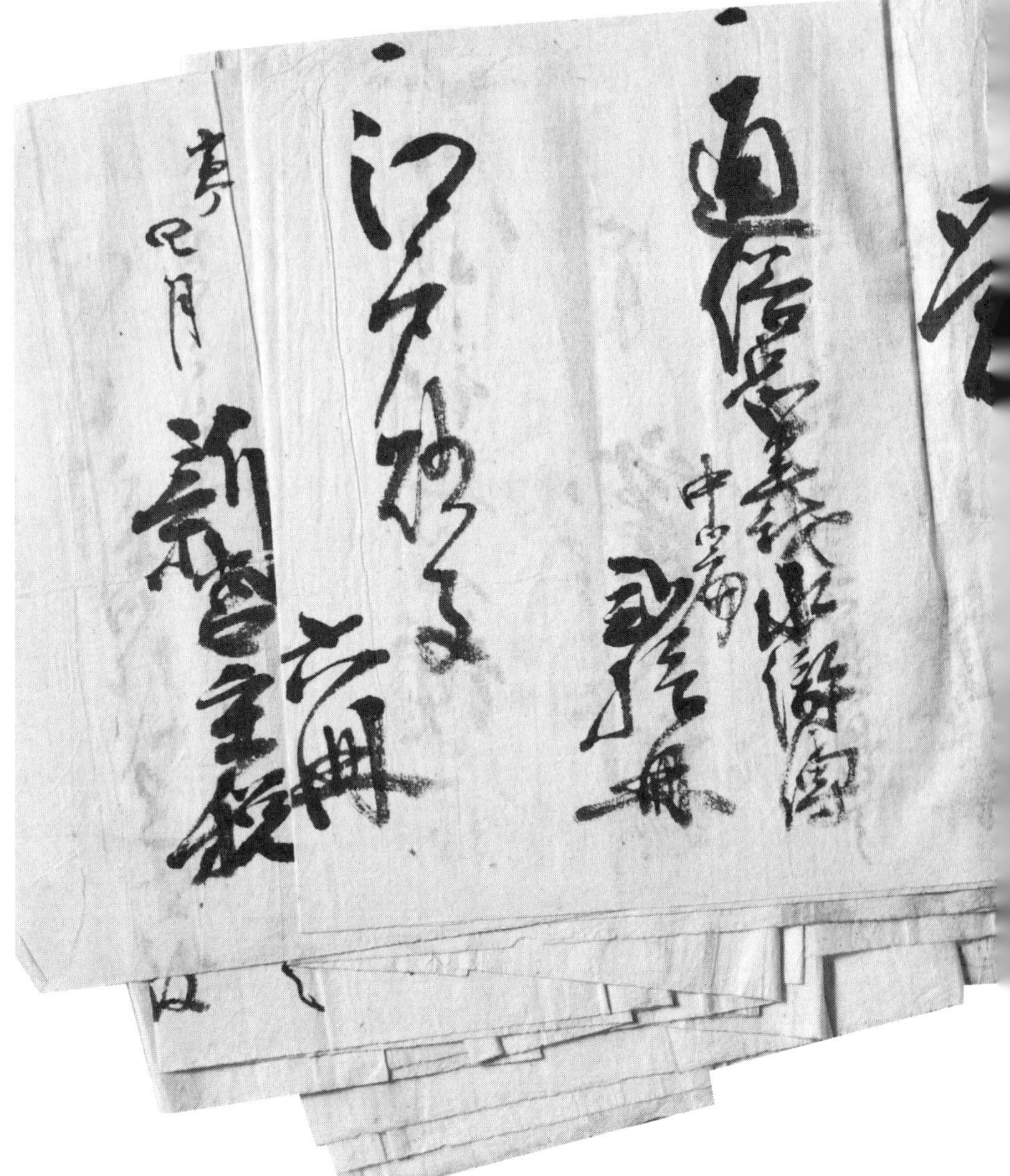

○「覚」以下の折り畳まれた一紙物は次頁以降に展開した。

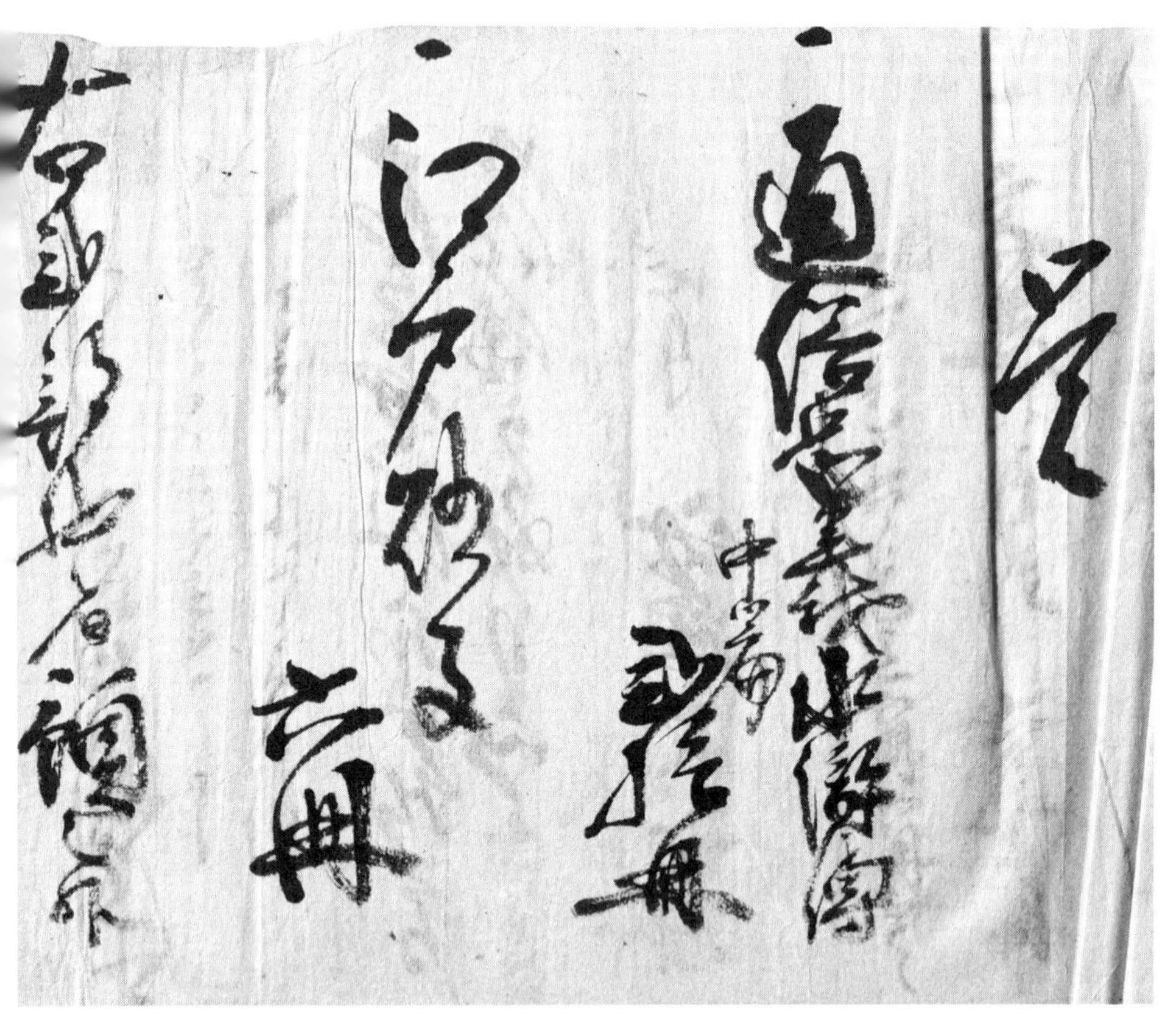

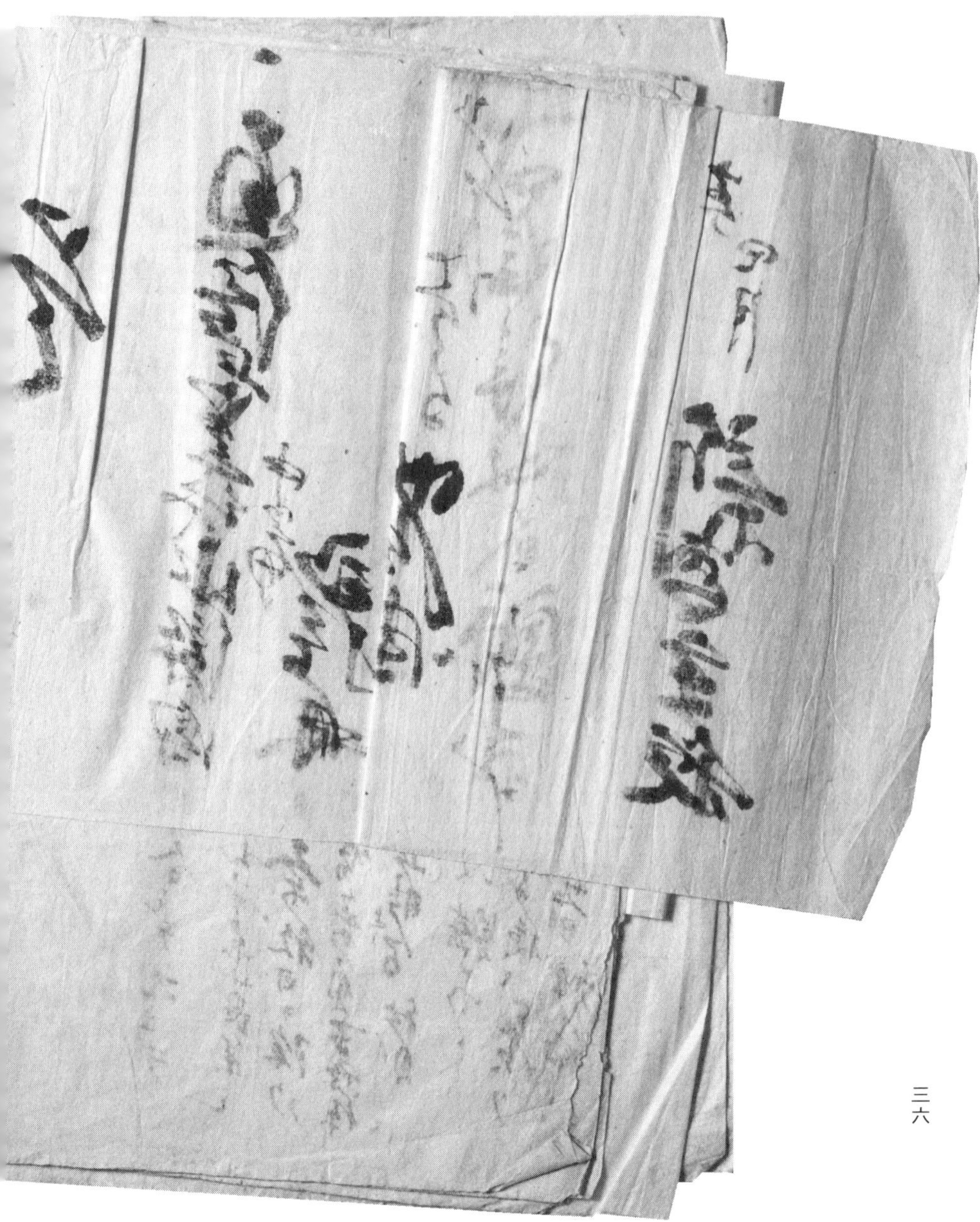

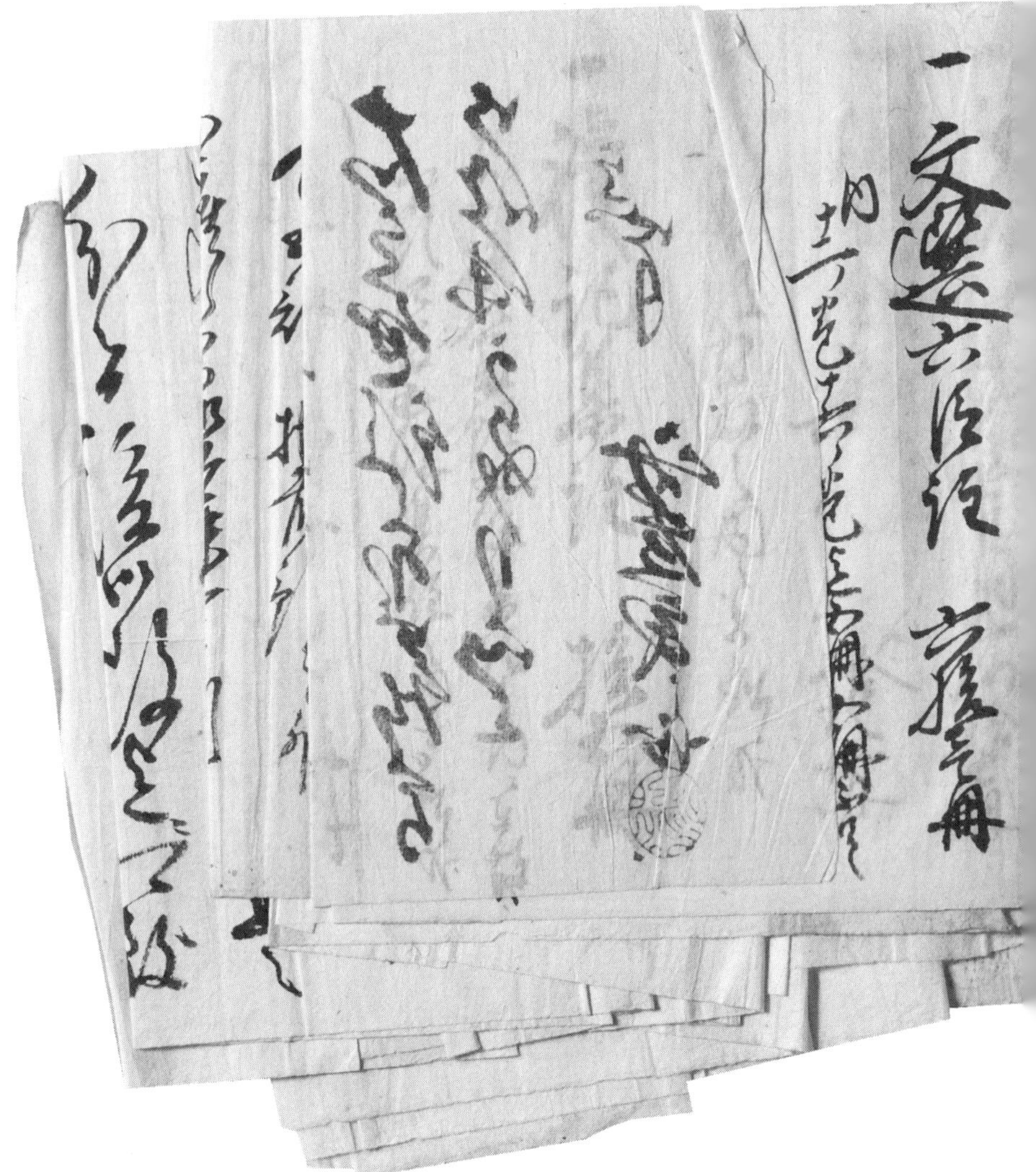

八戸書籍縦覧所　○　折り畳まれた一紙物は次頁以降に展開した。

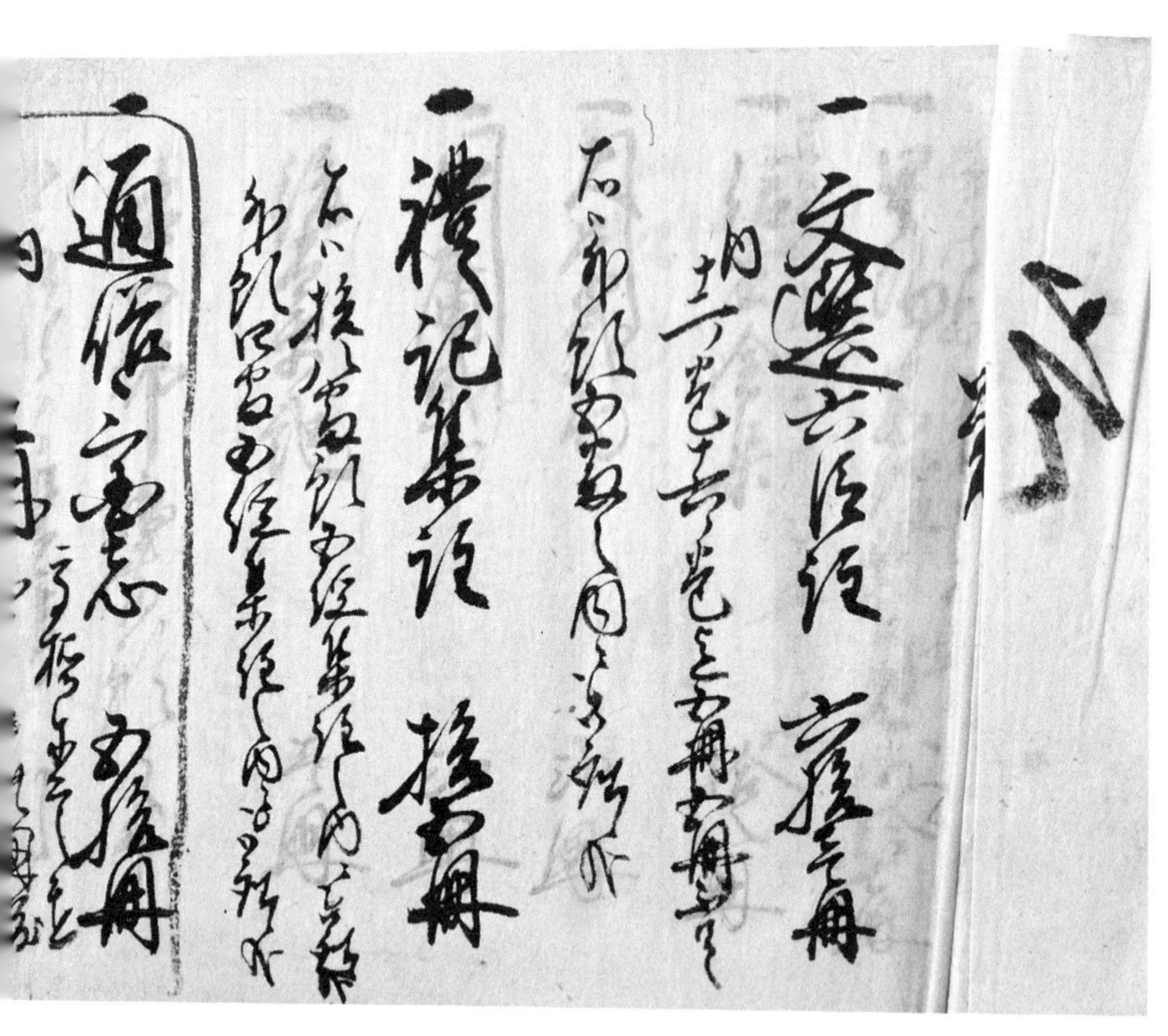

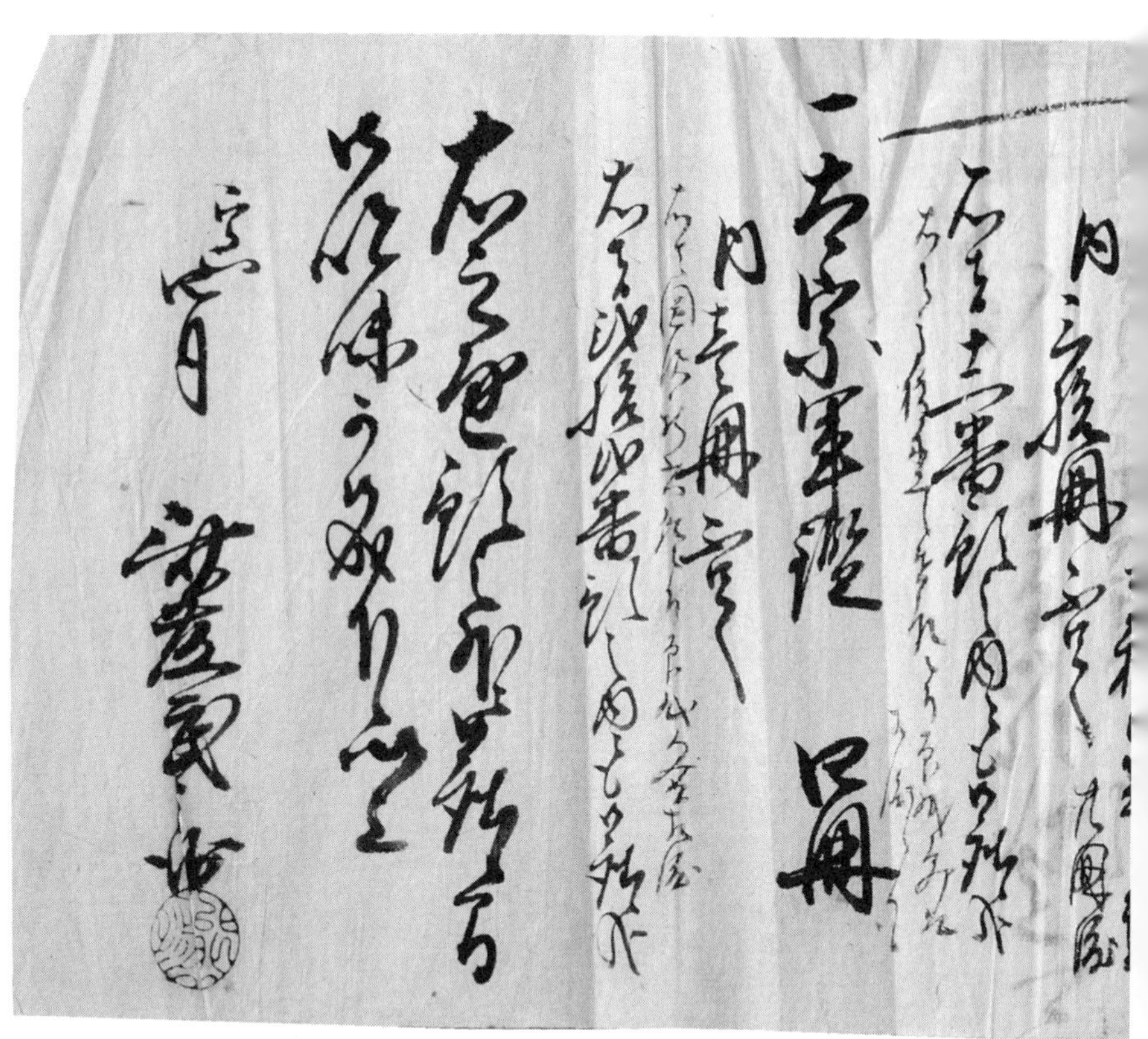

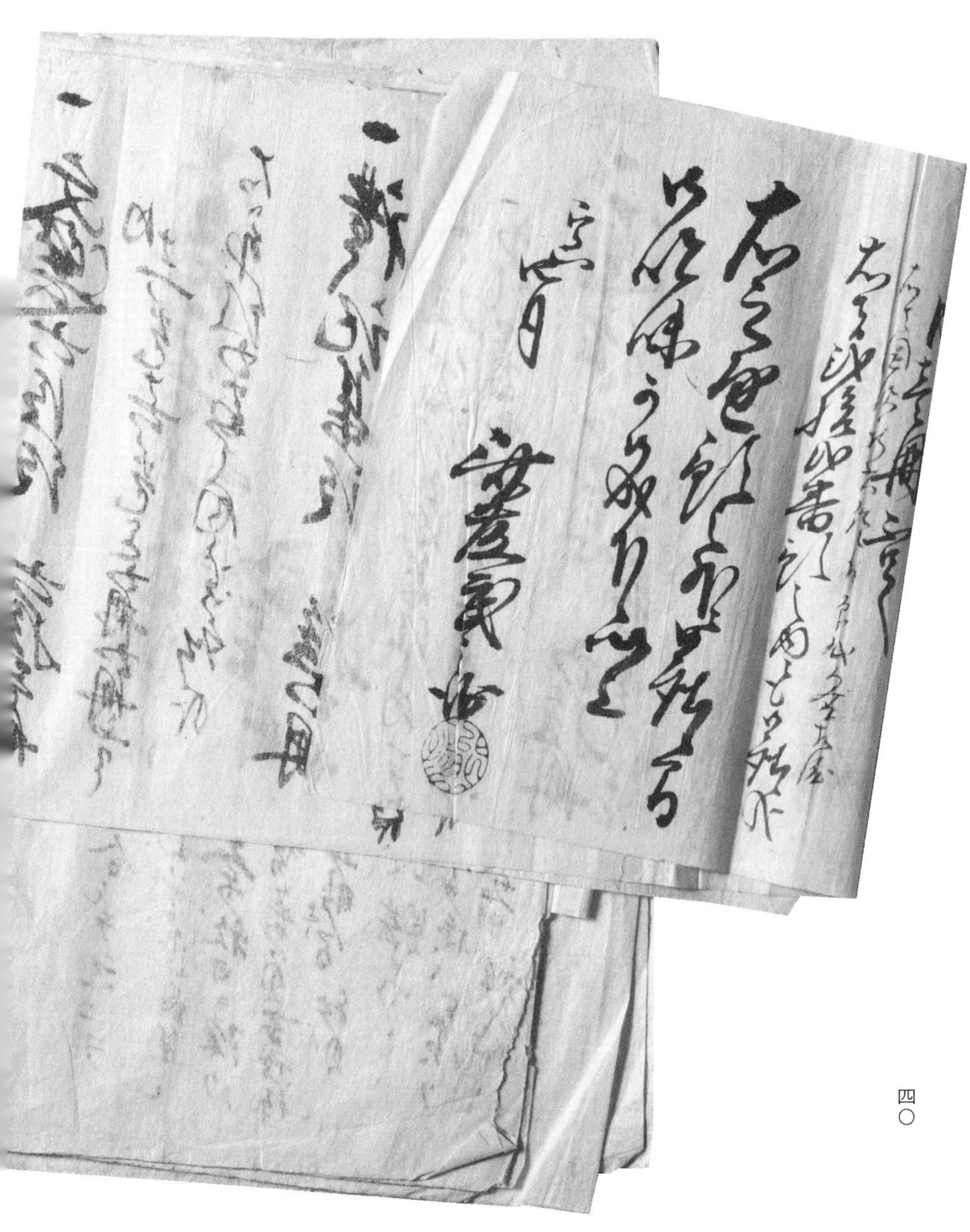

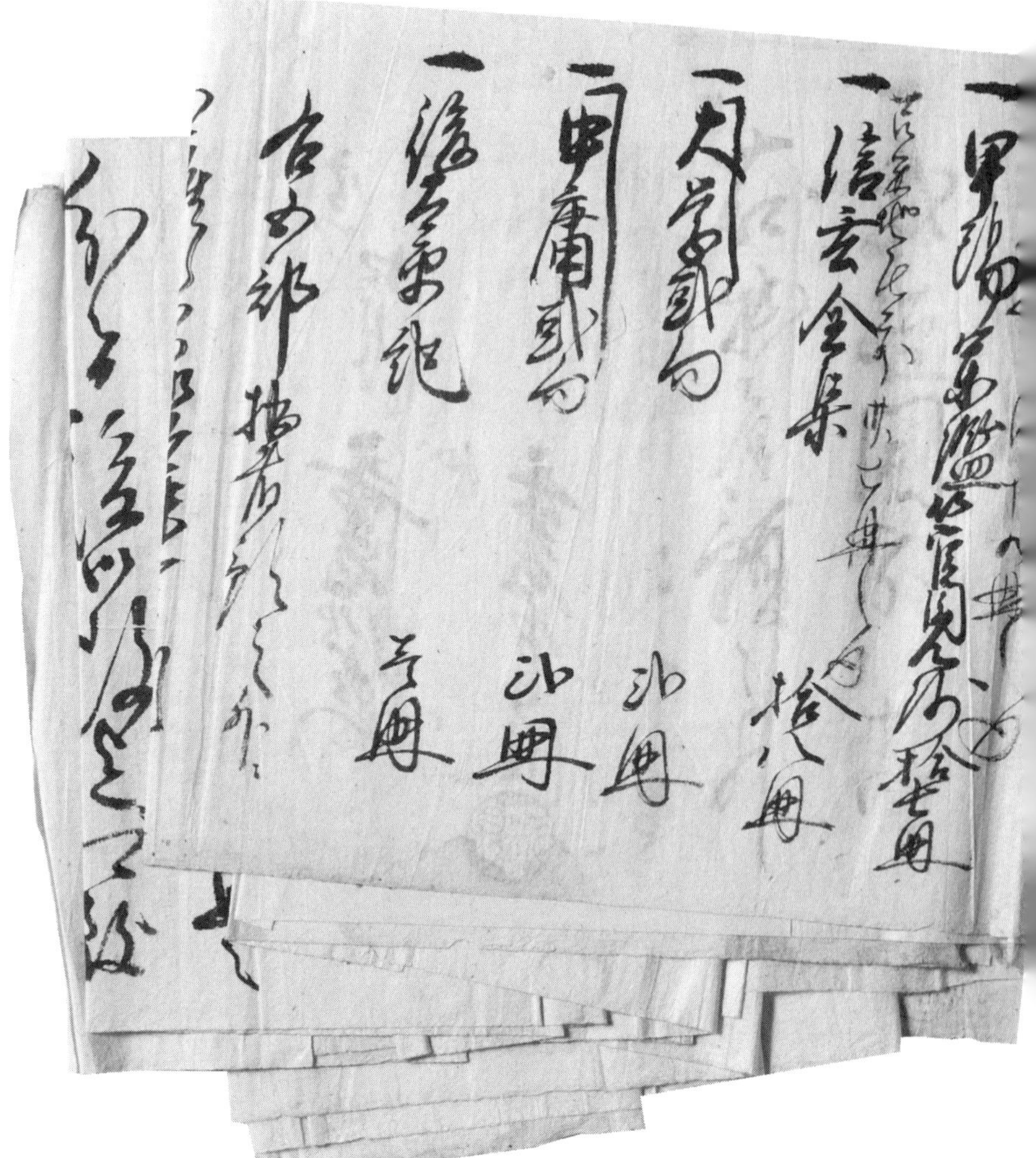

○ 折り畳まれた一紙物は次頁以降に展開した。

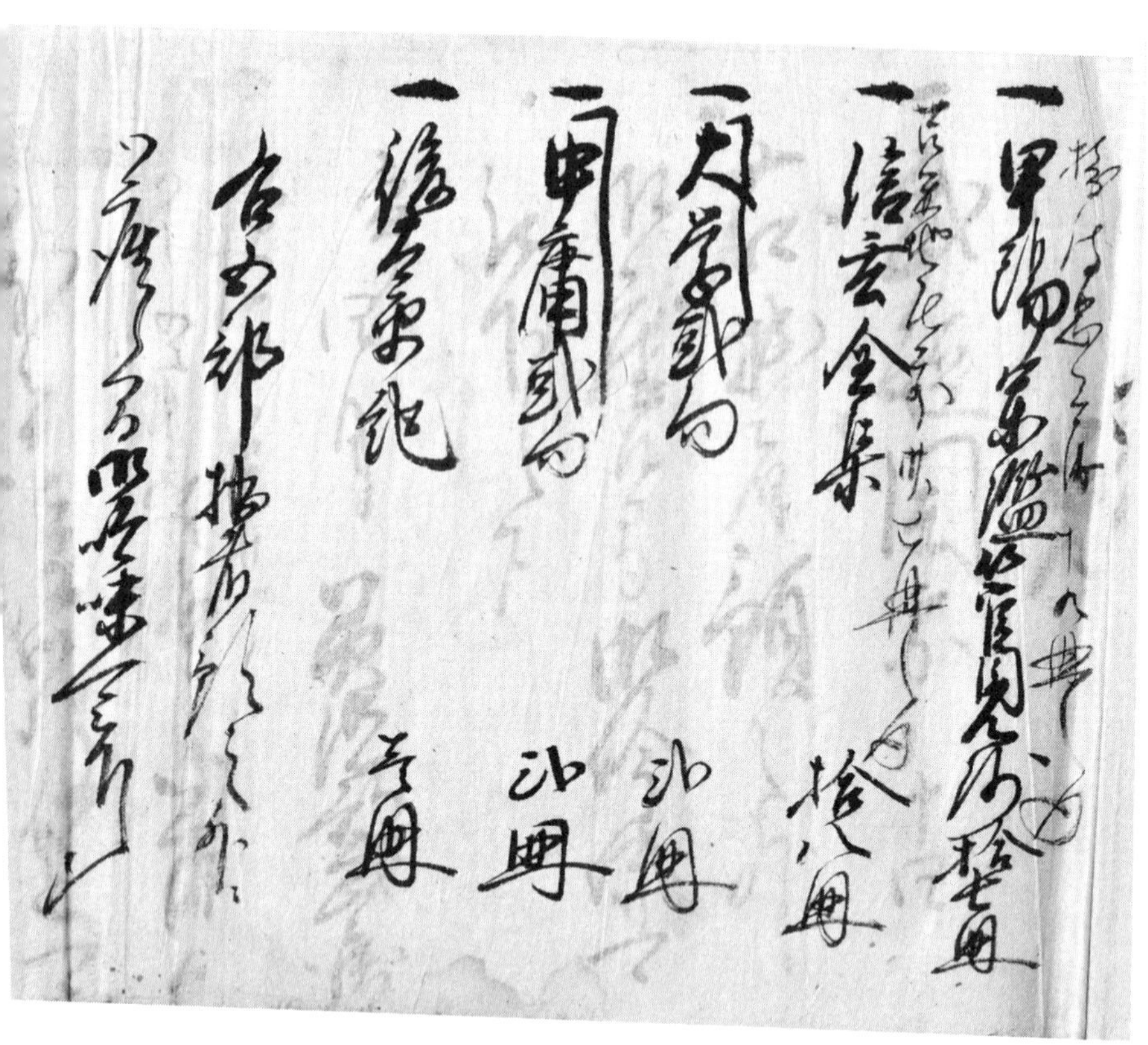

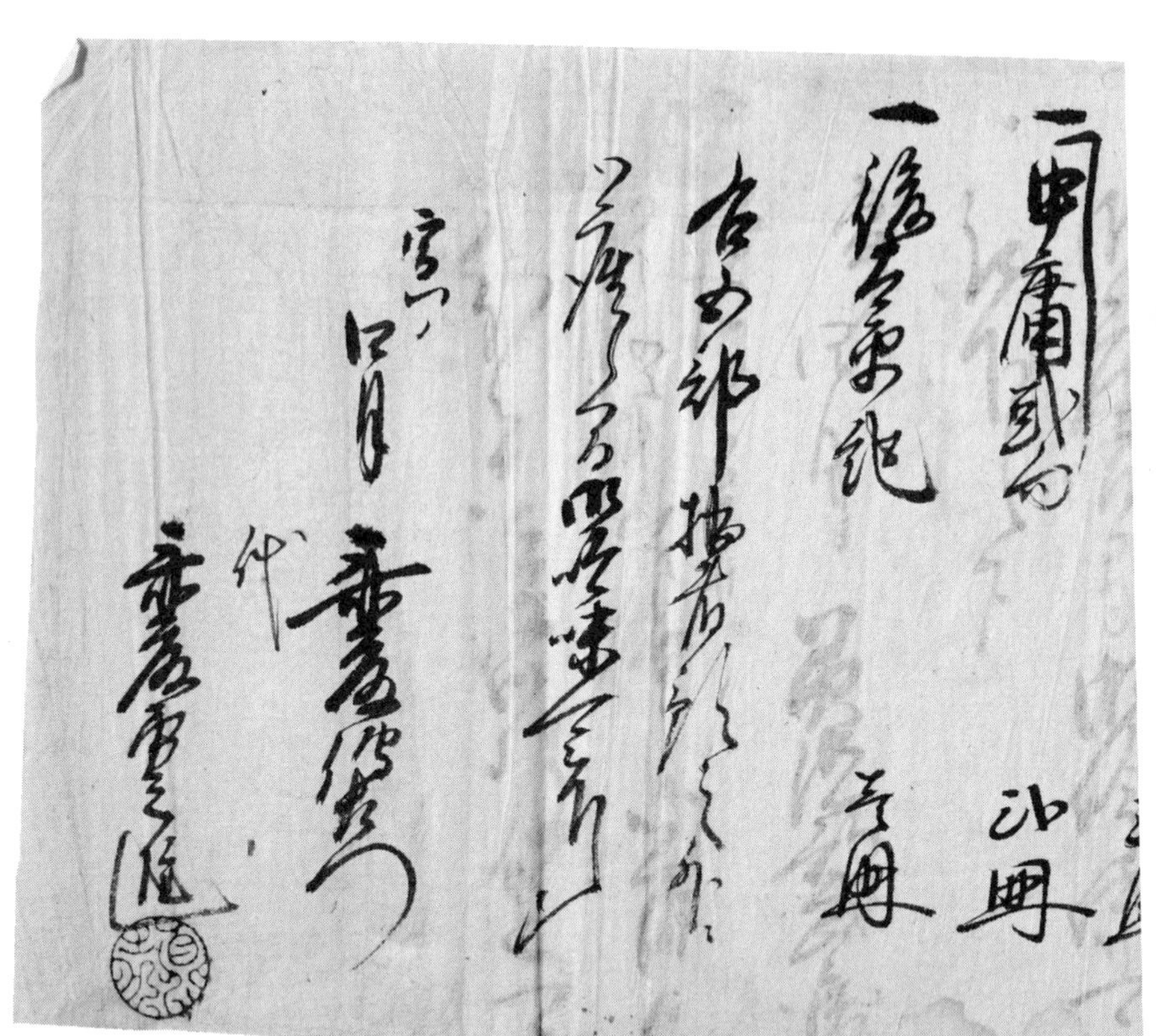

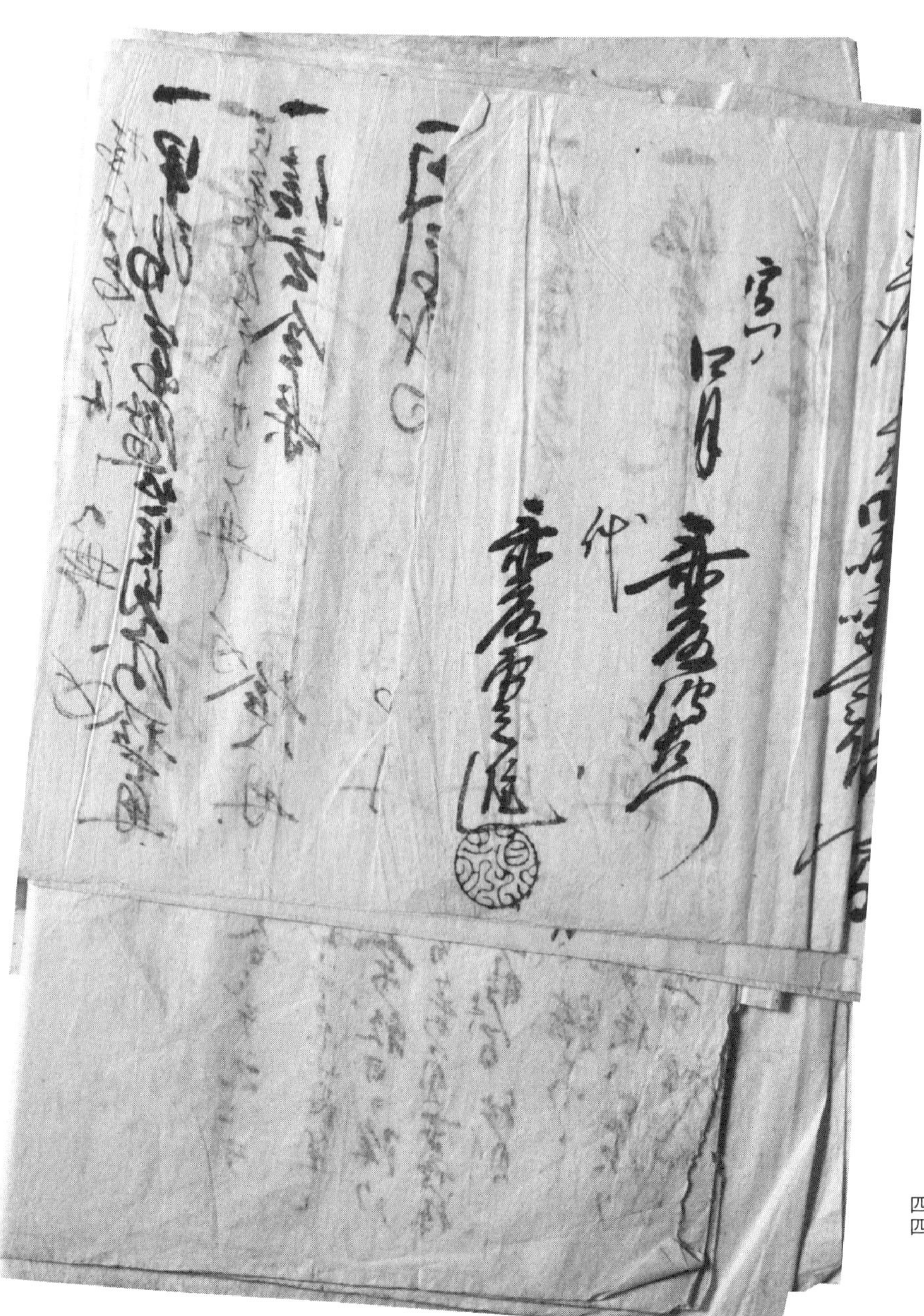

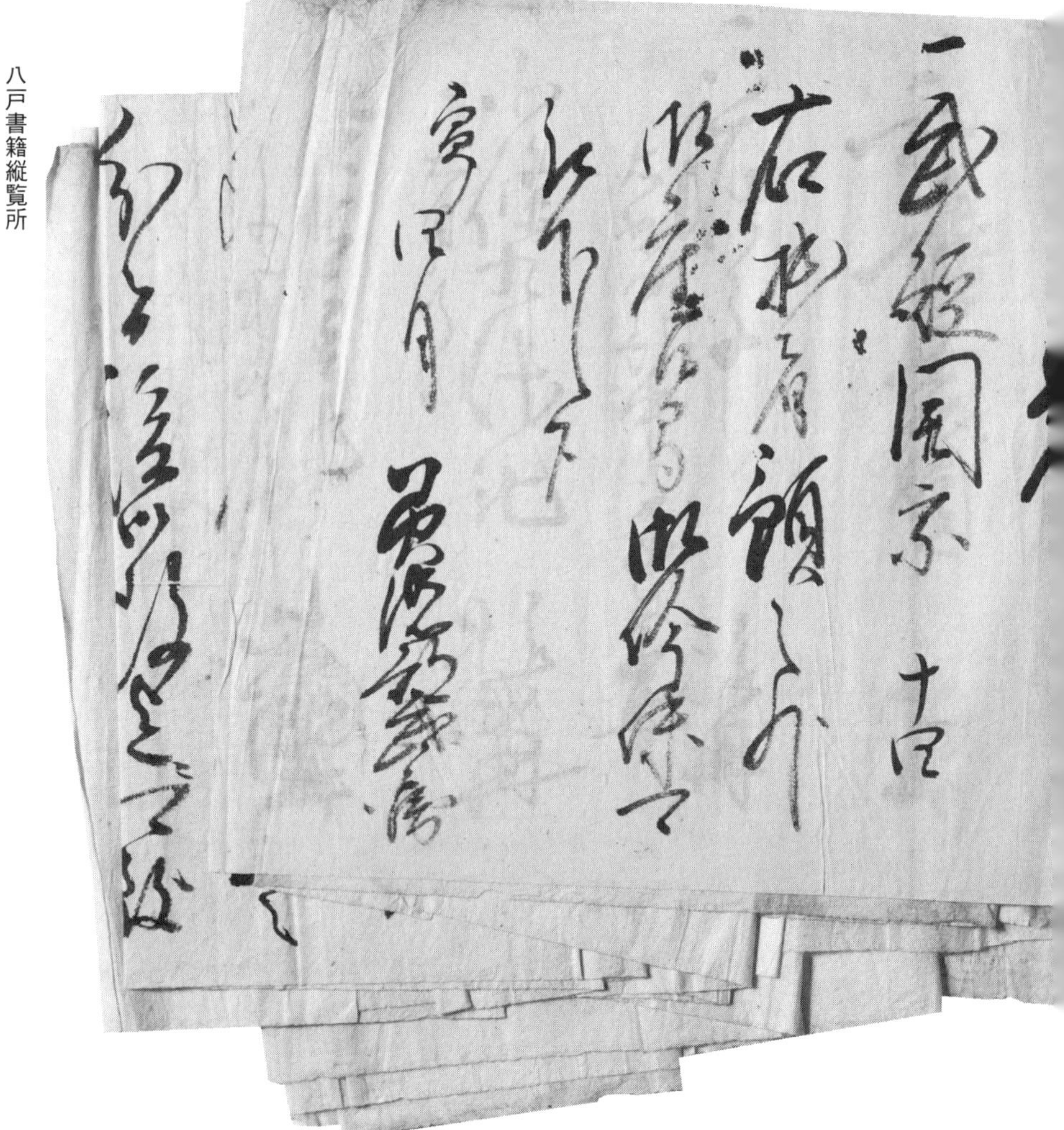

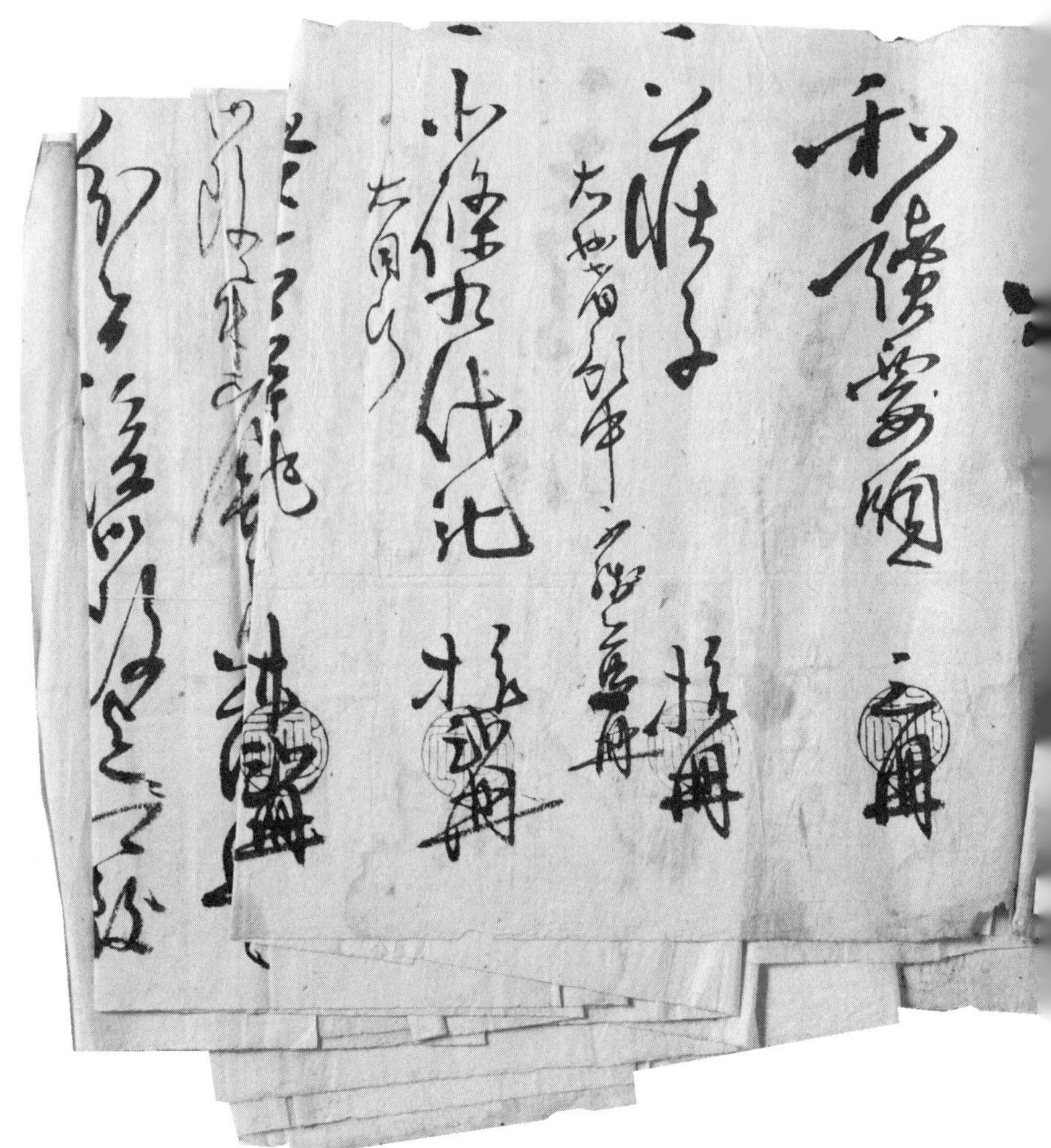

八戸書籍縦覧所　○「覚」以下の折り畳まれた一紙物は次頁以降に展開した。

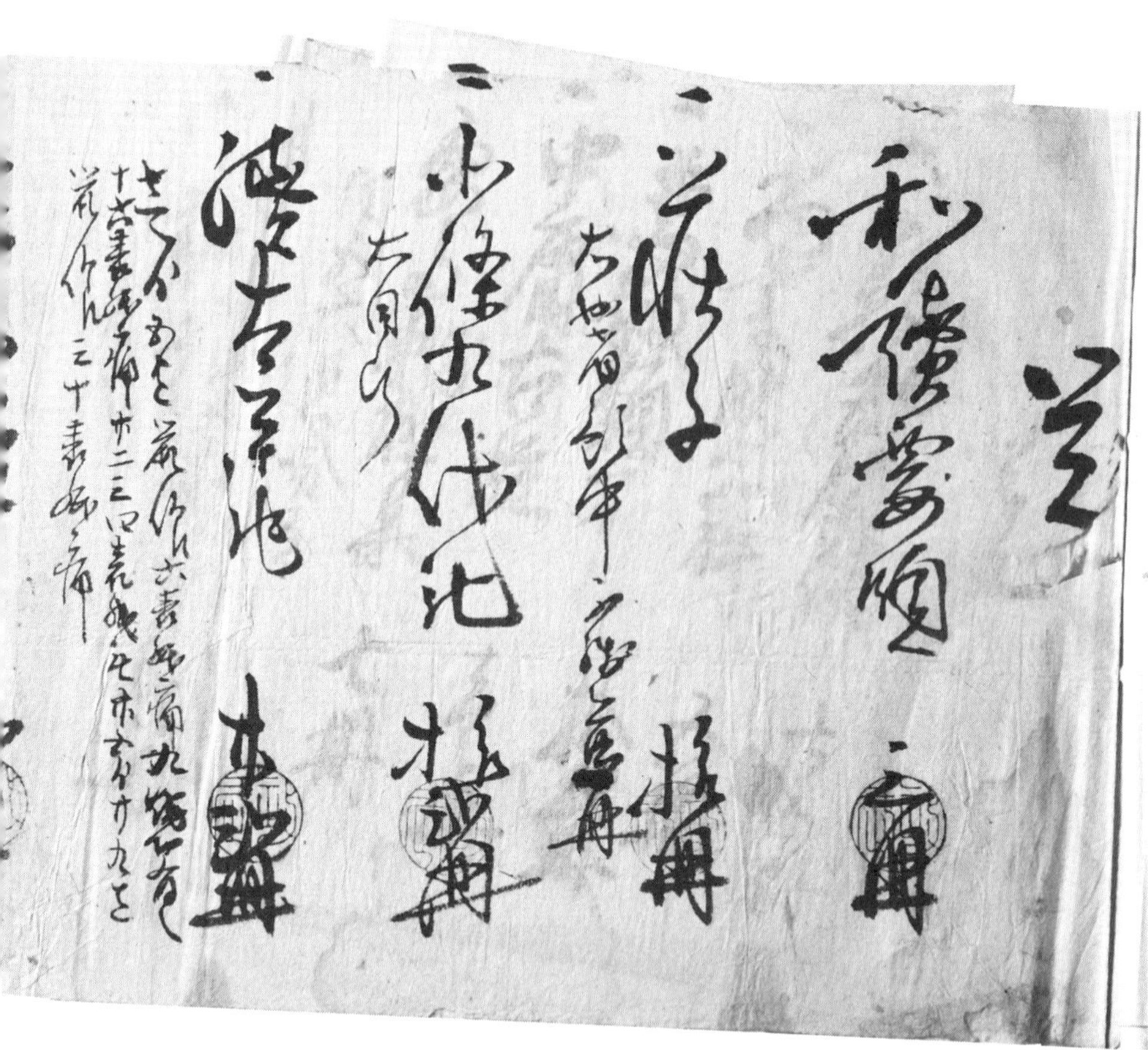

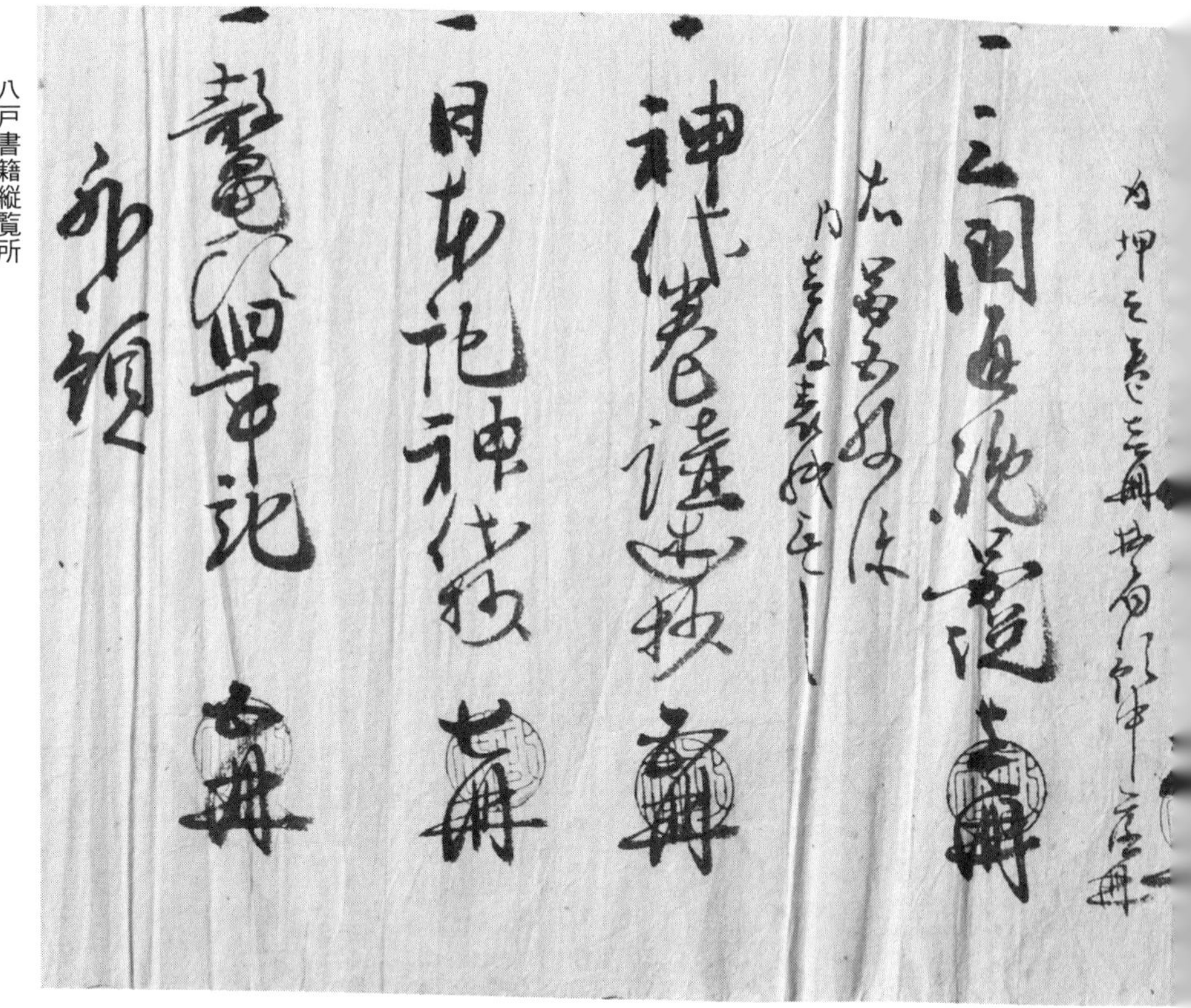

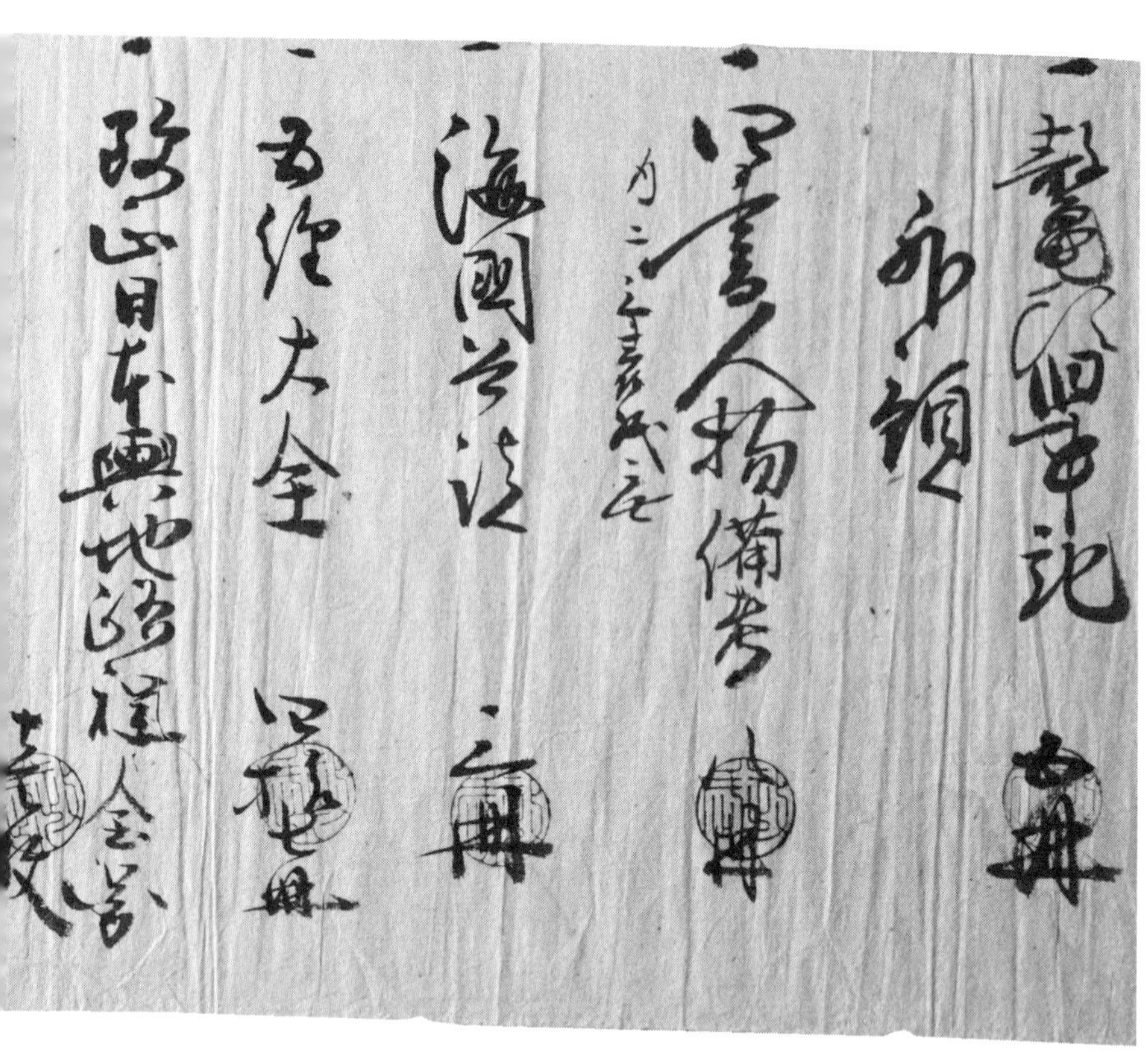

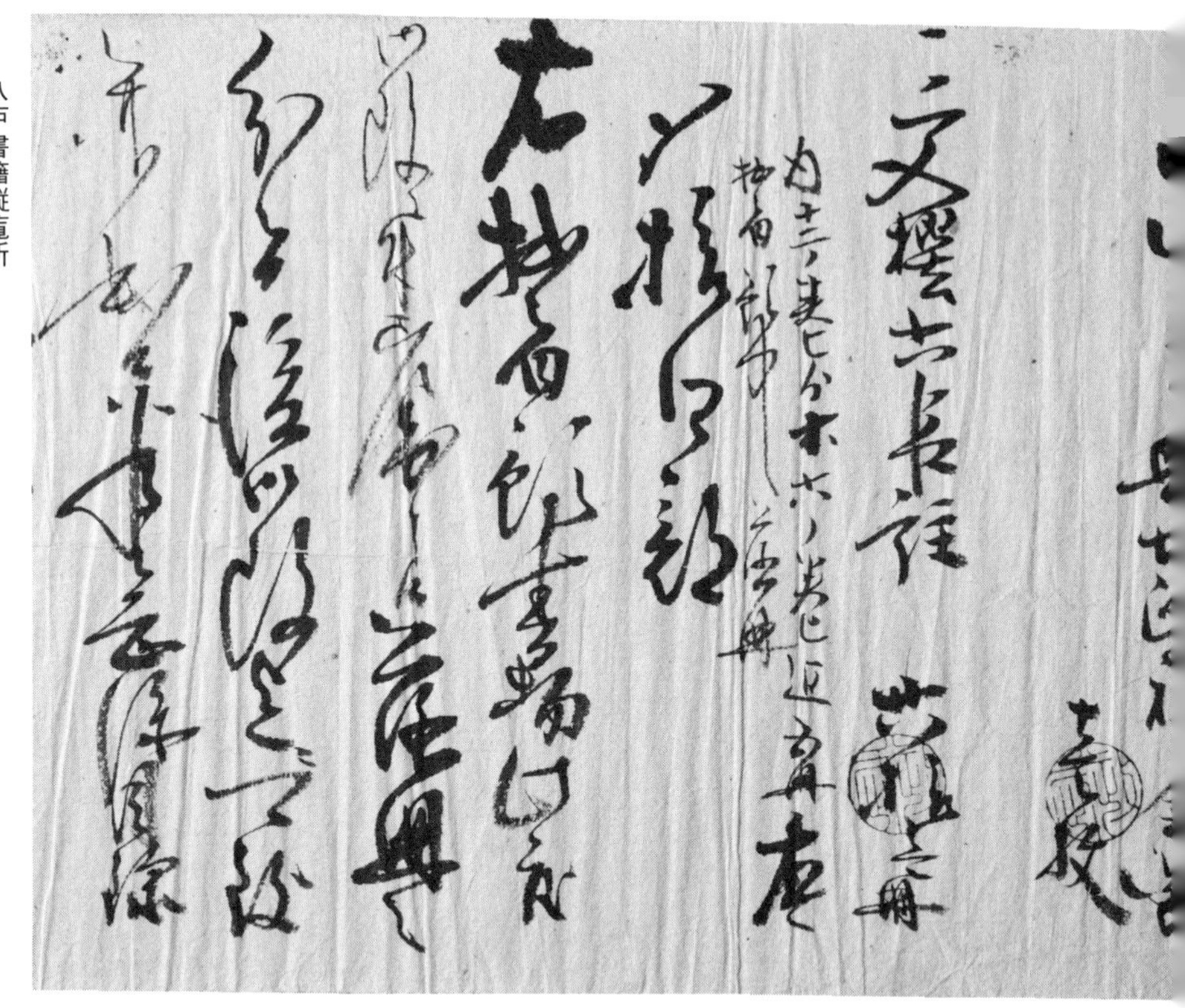

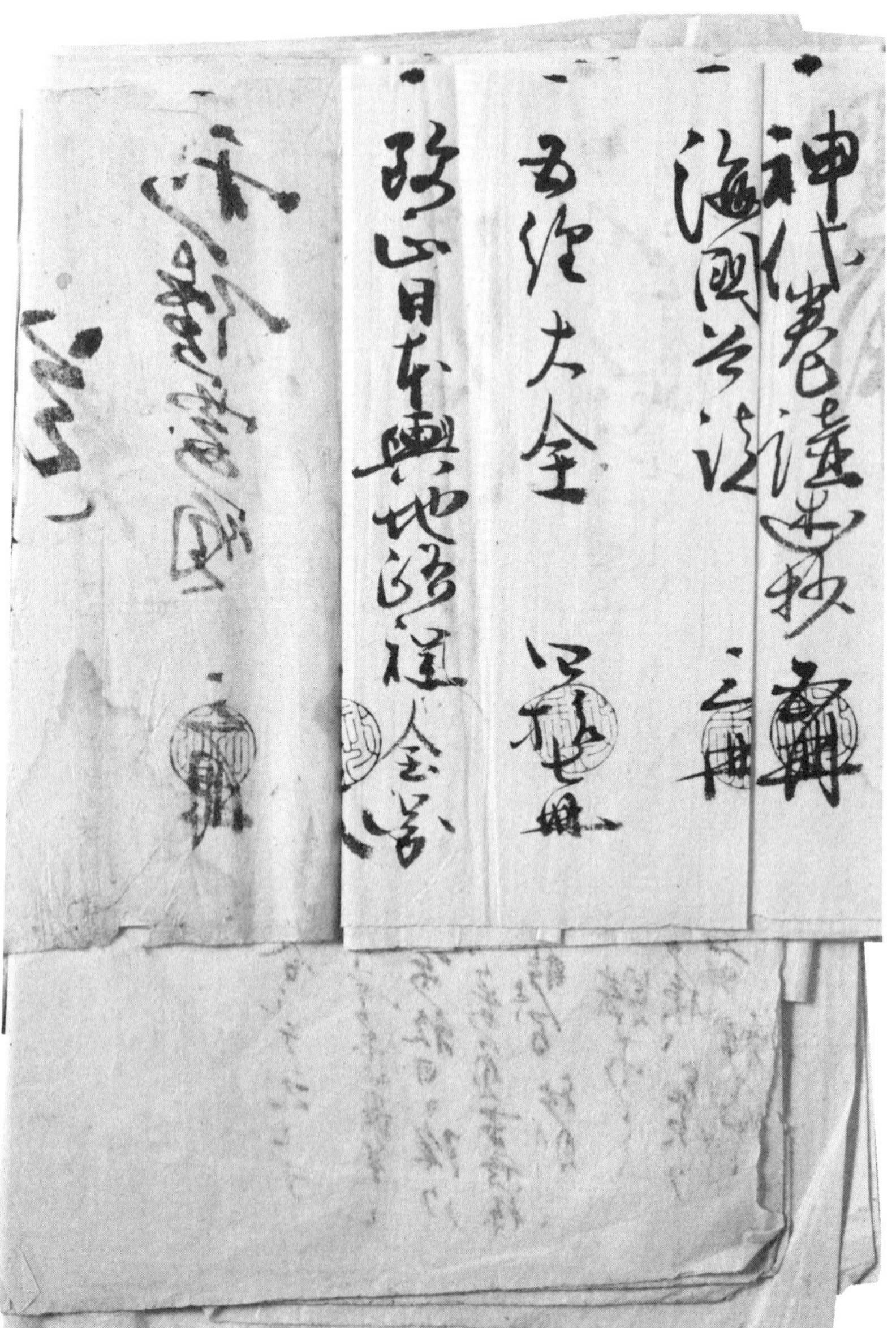

○「覚」以下の折り畳まれた一紙物は次頁以降に展開した。

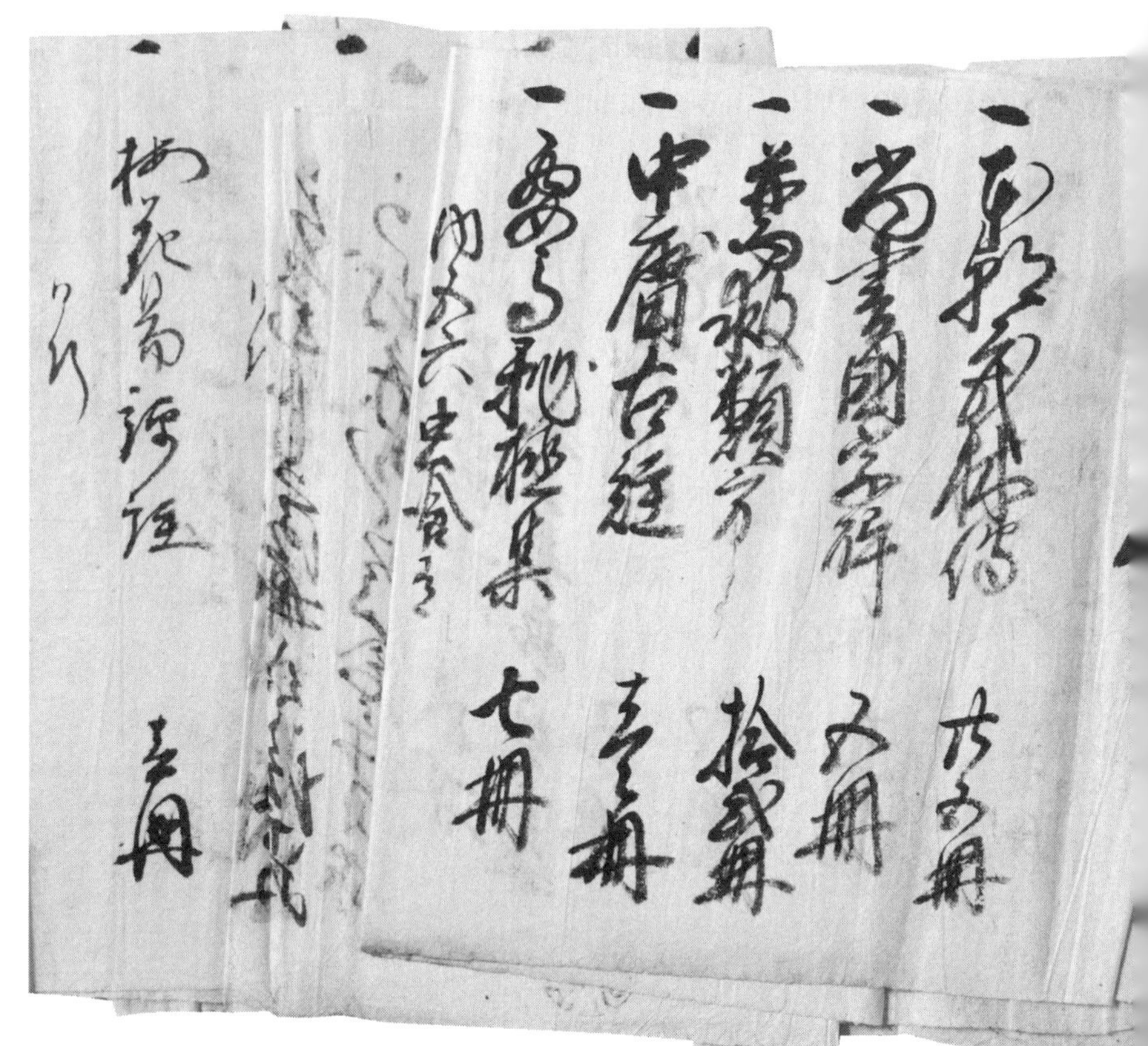

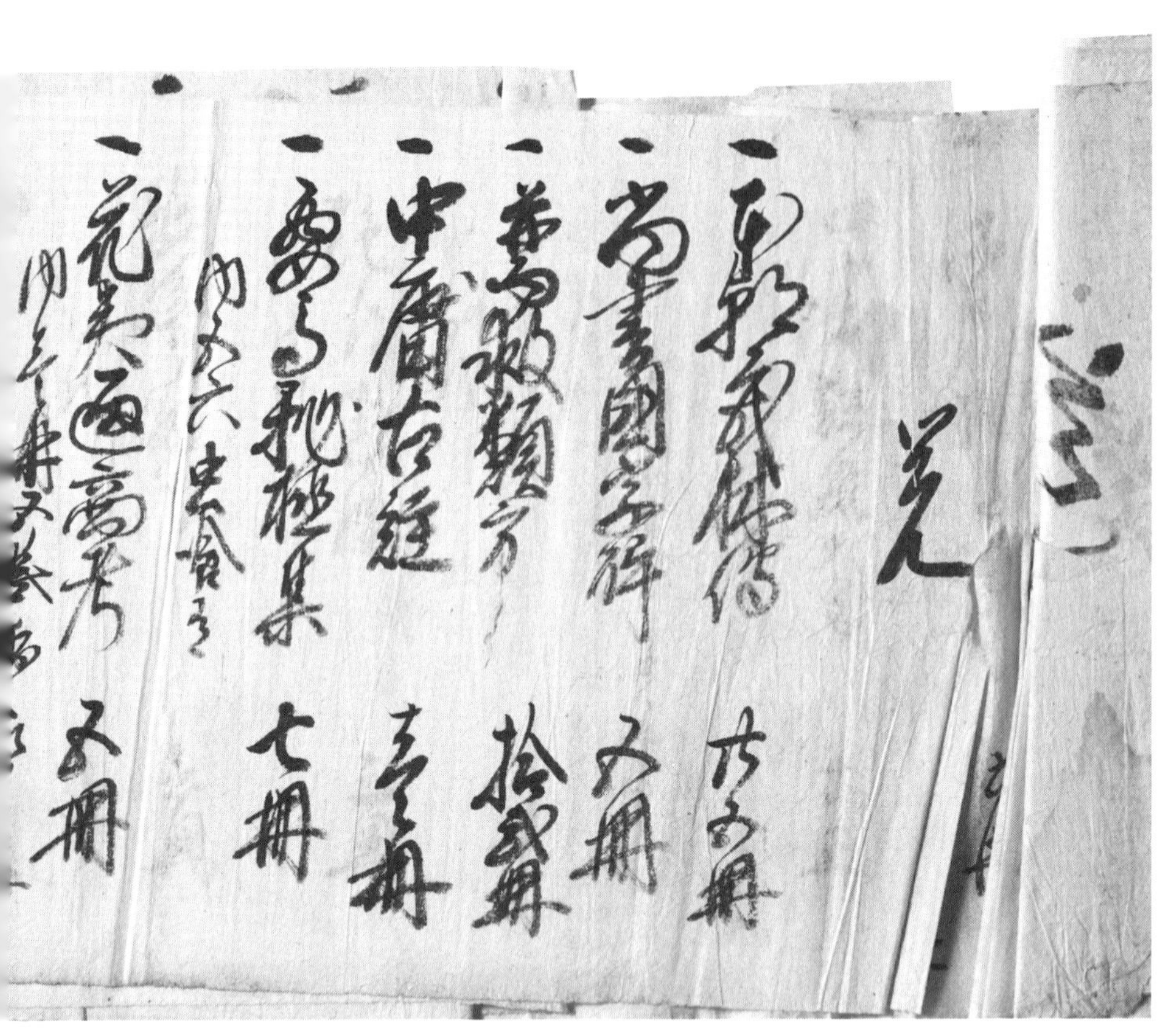

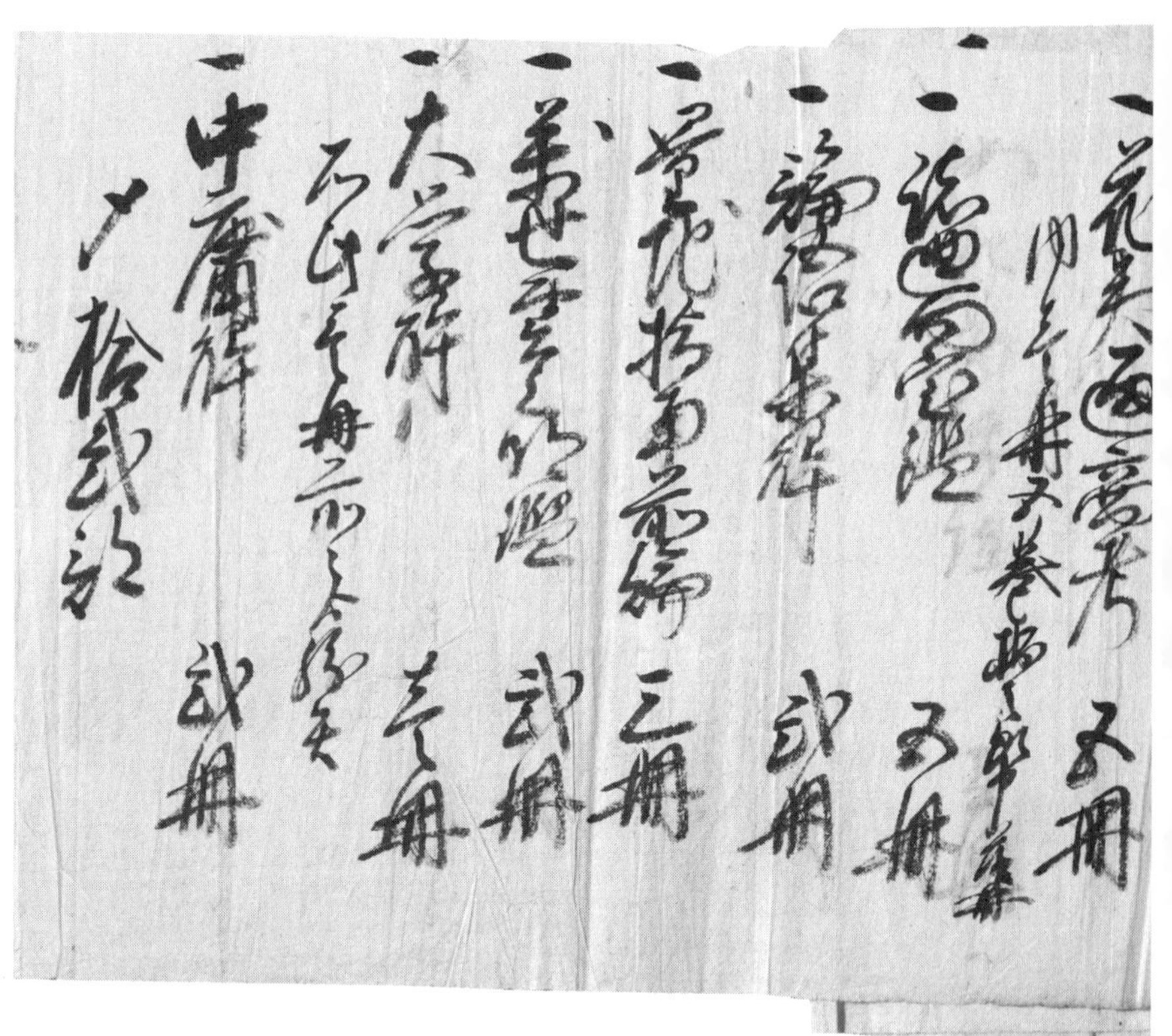

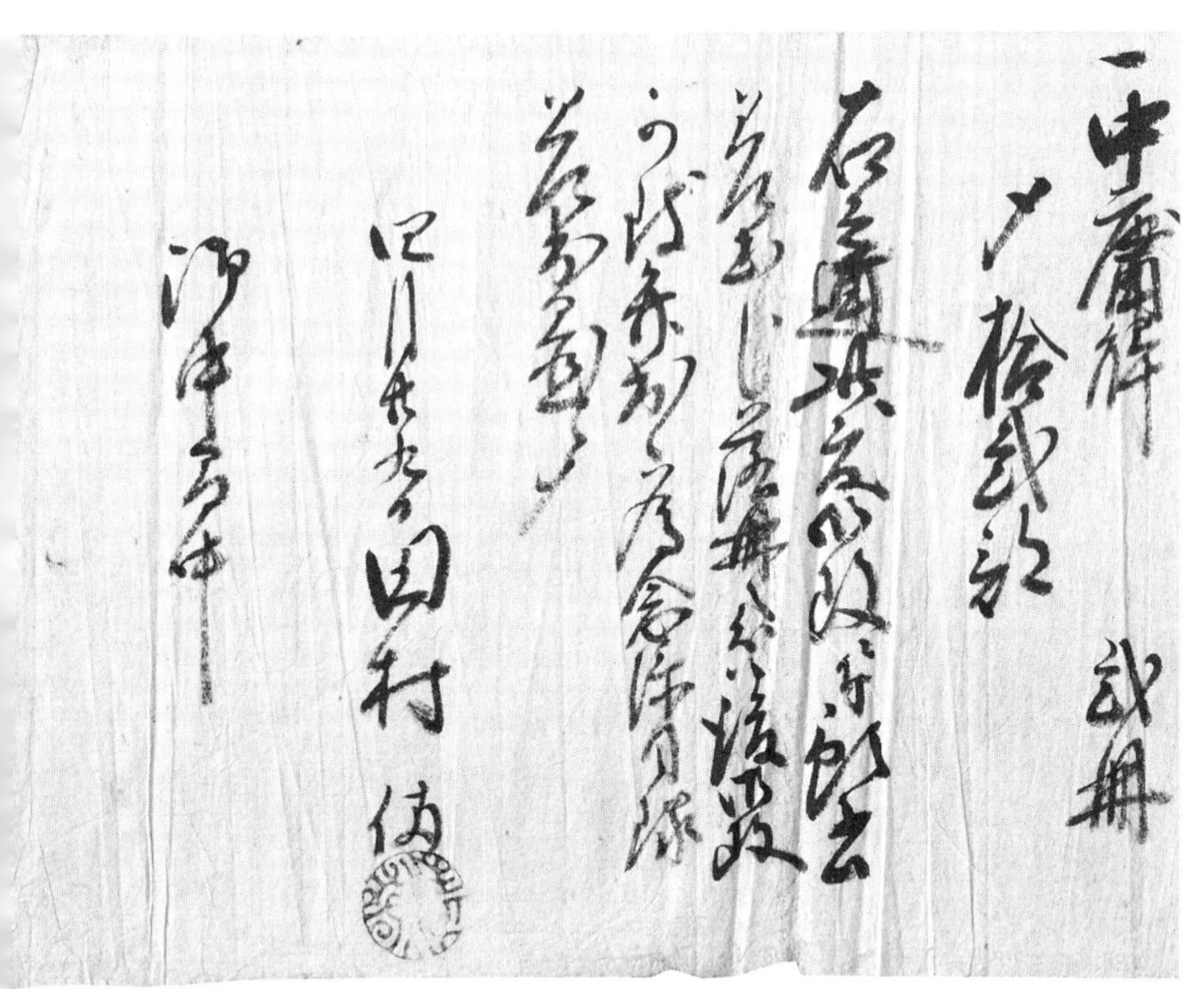

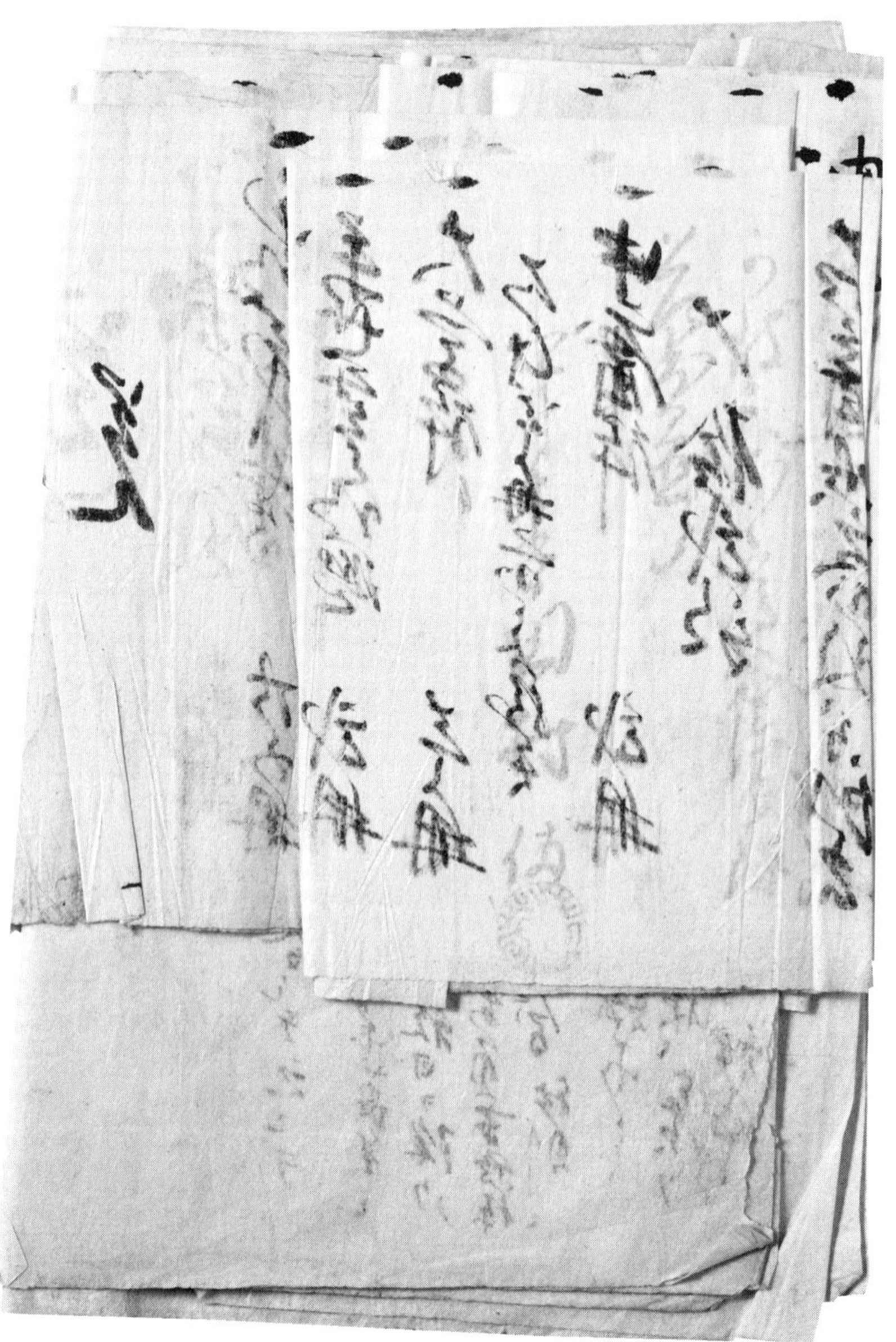

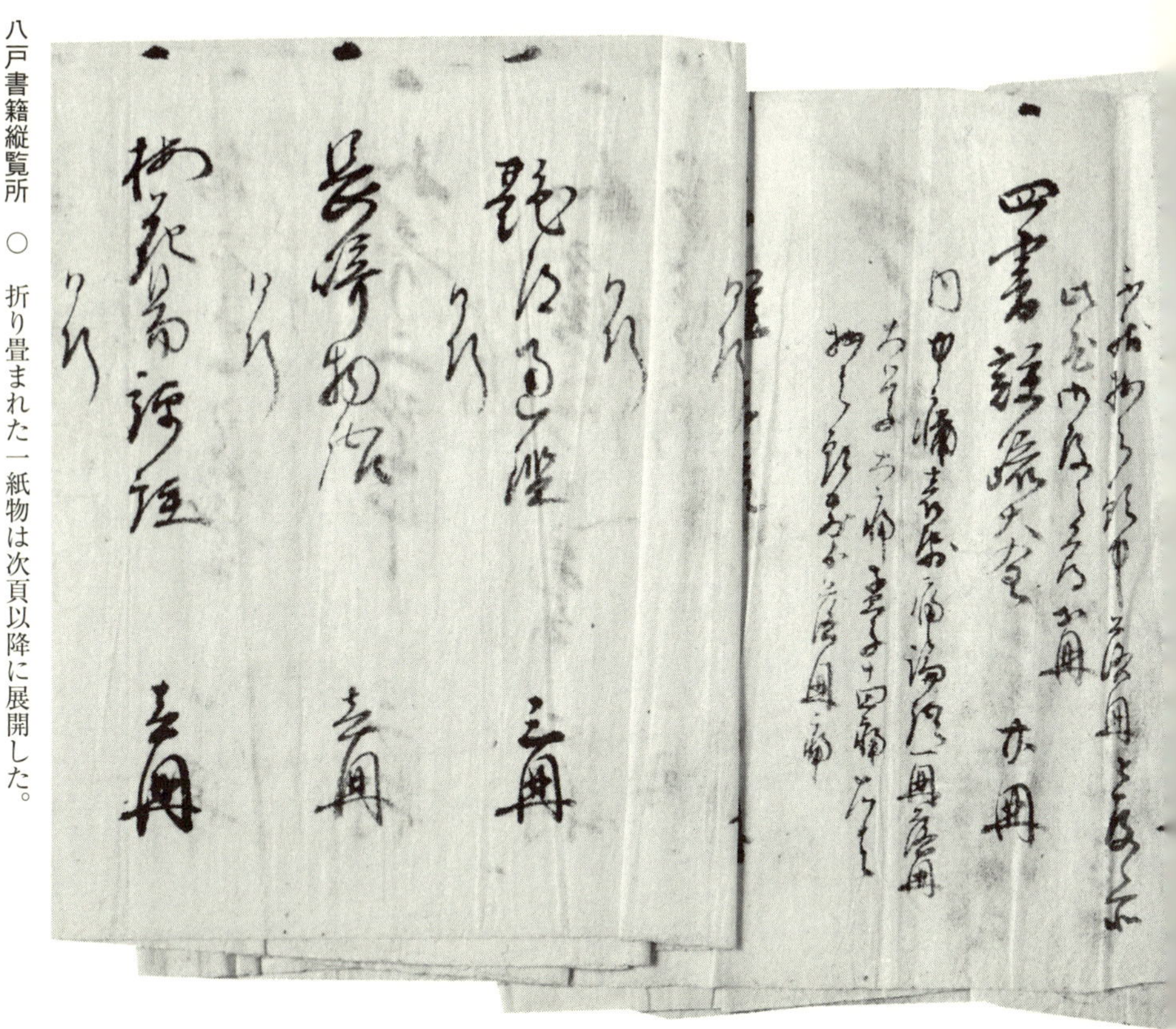

八戸書籍縦覧所　○　折り畳まれた一紙物は次頁以降に展開した。

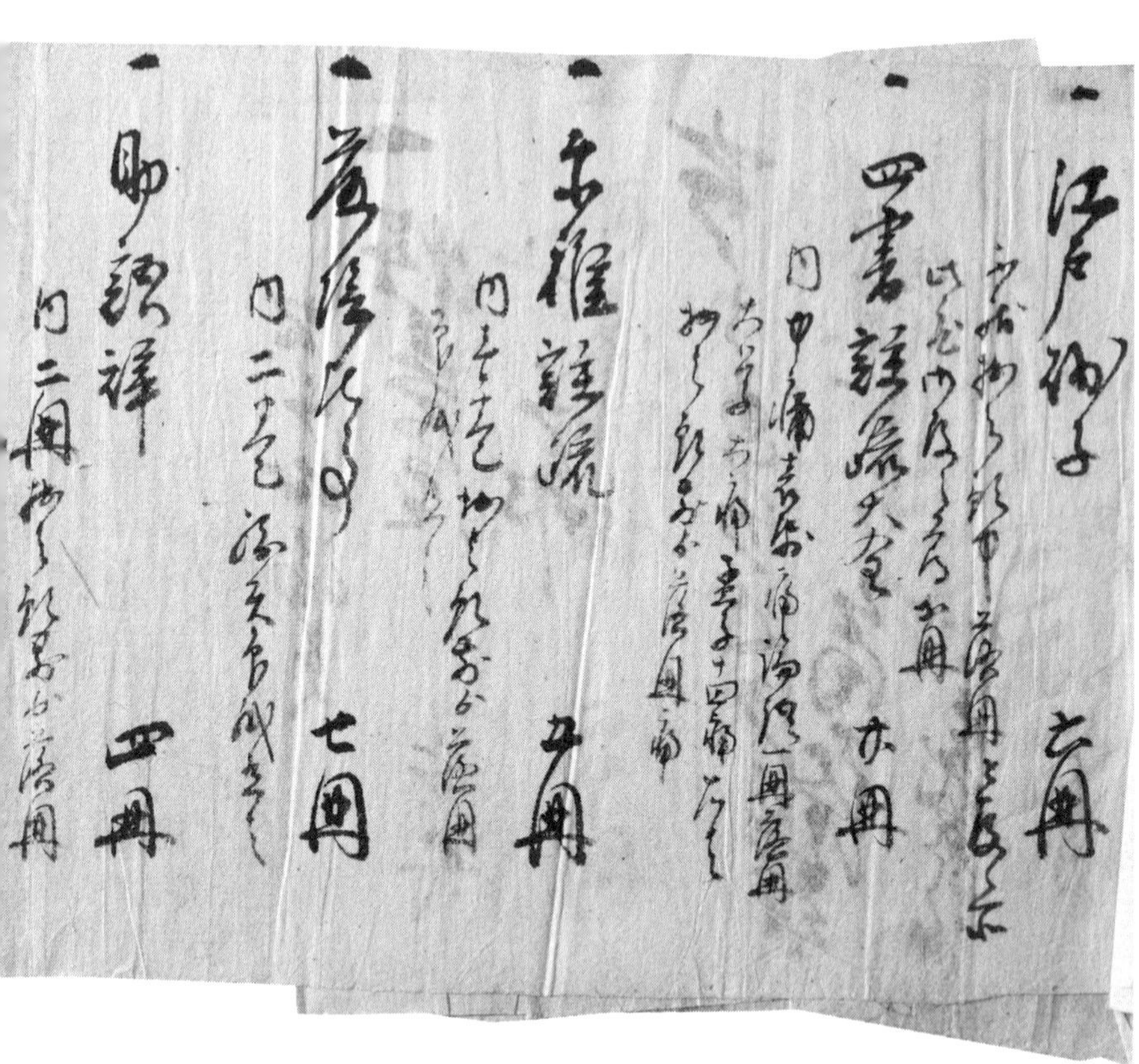

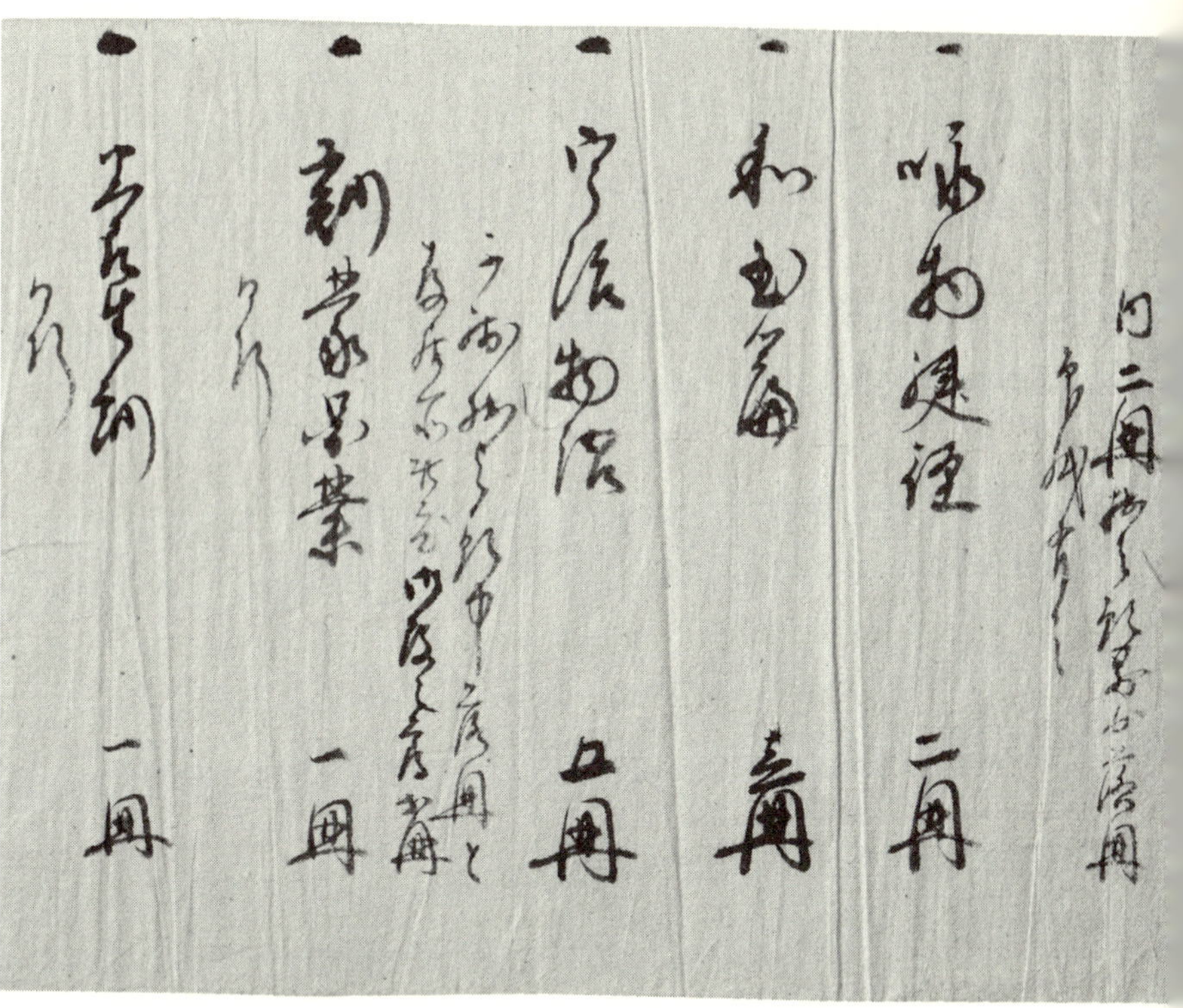

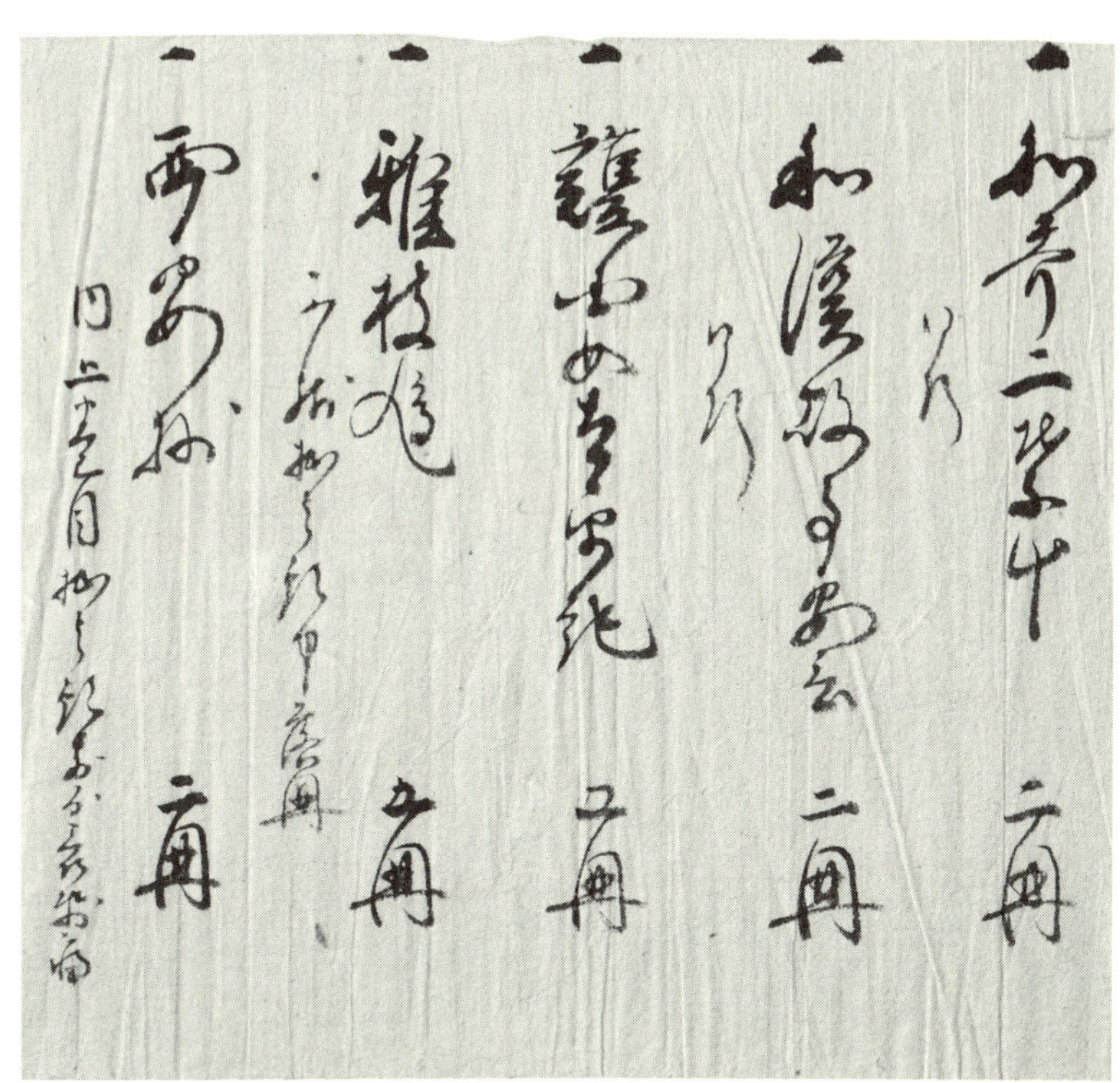

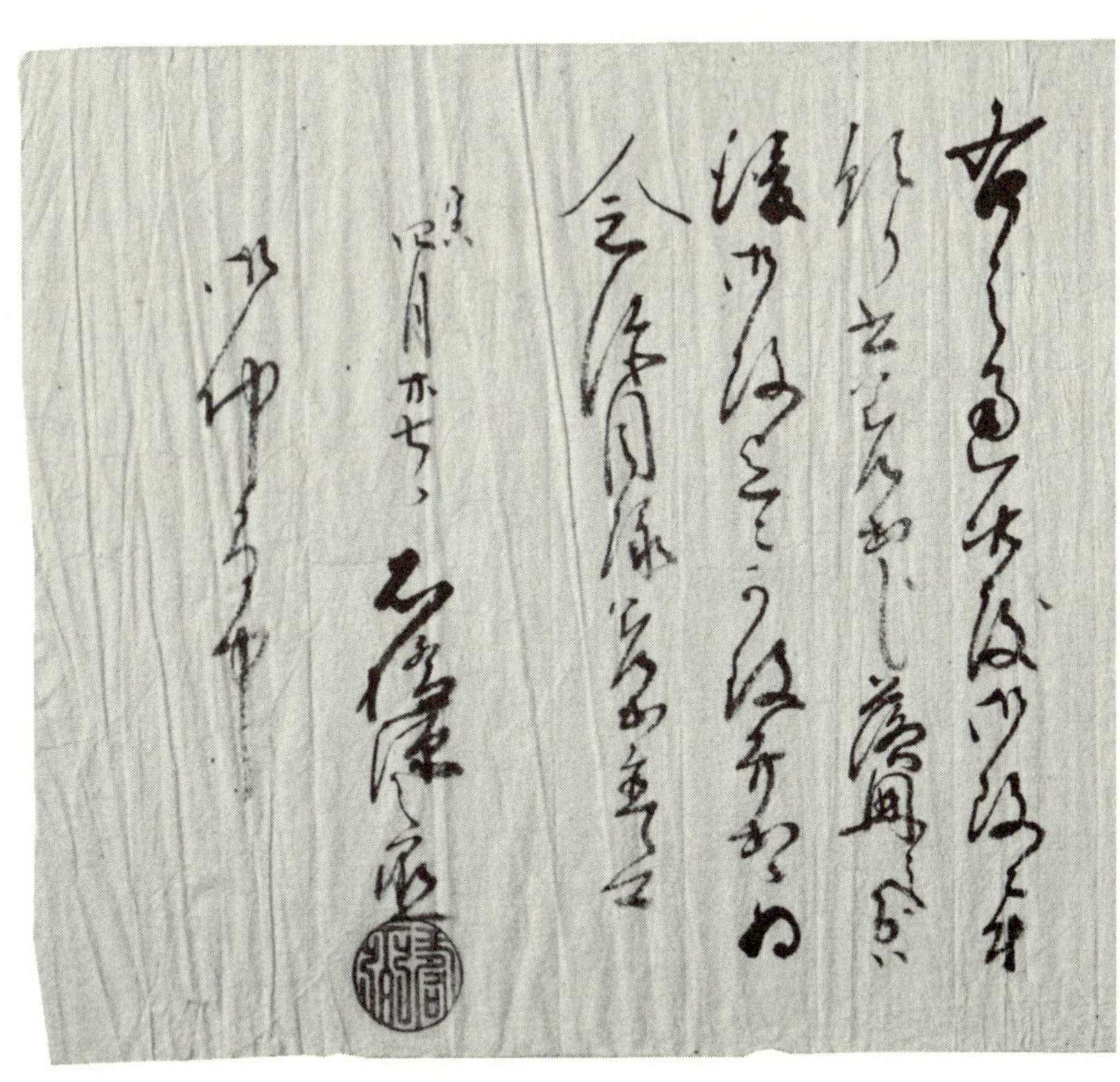

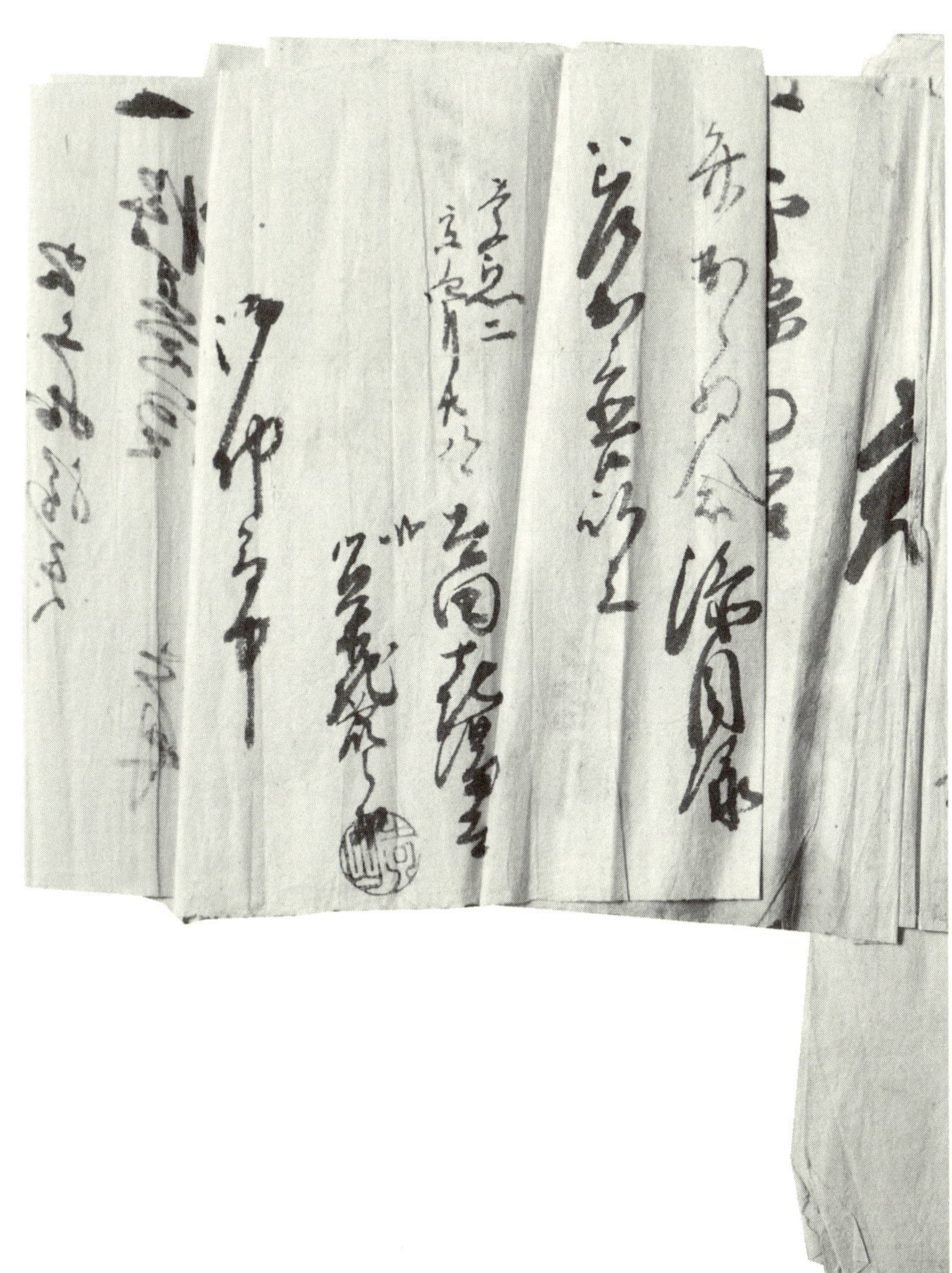

八戸書籍縦覧所　○「覚」以下の折り畳まれた一紙物は次頁以降に展開した。

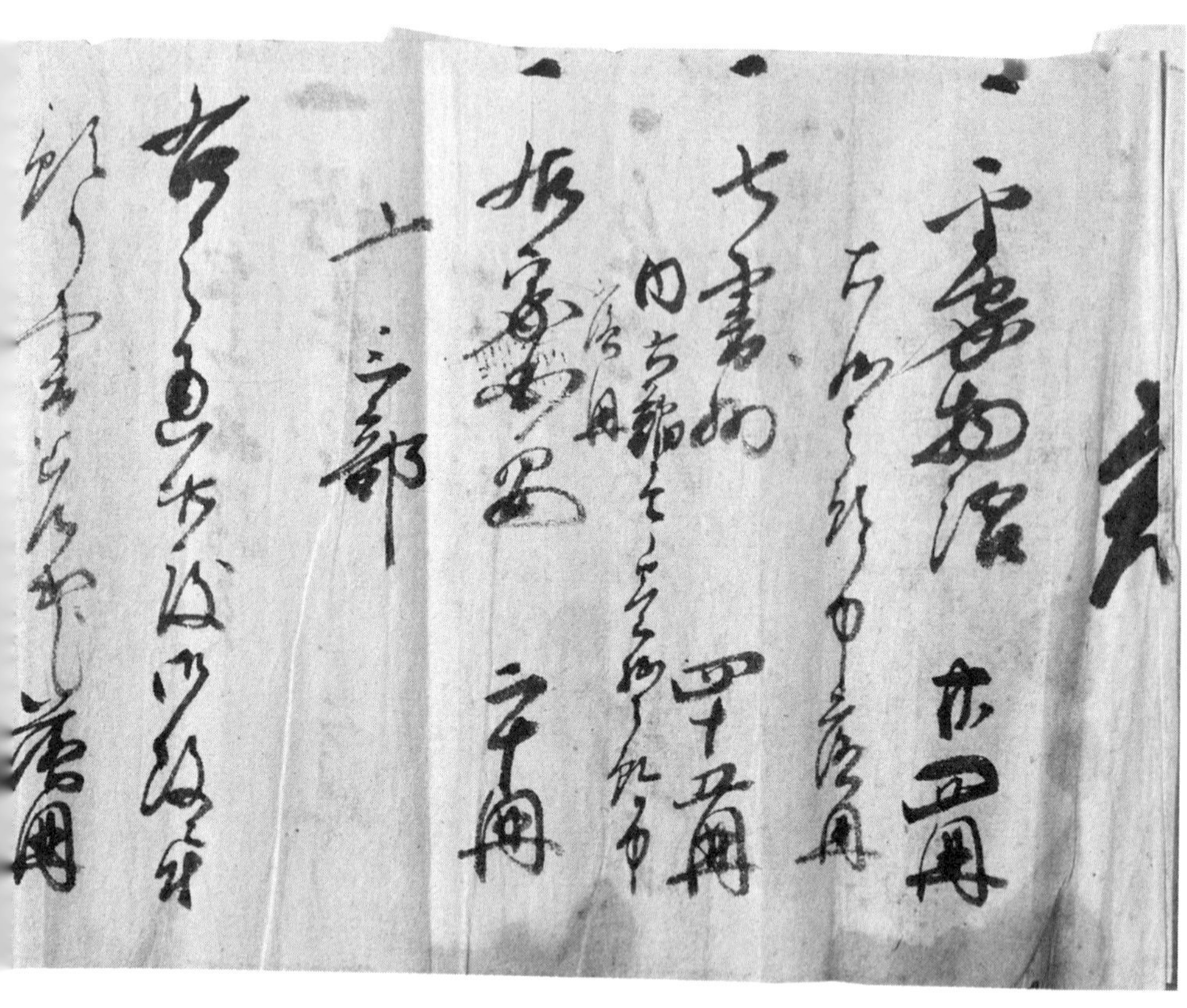

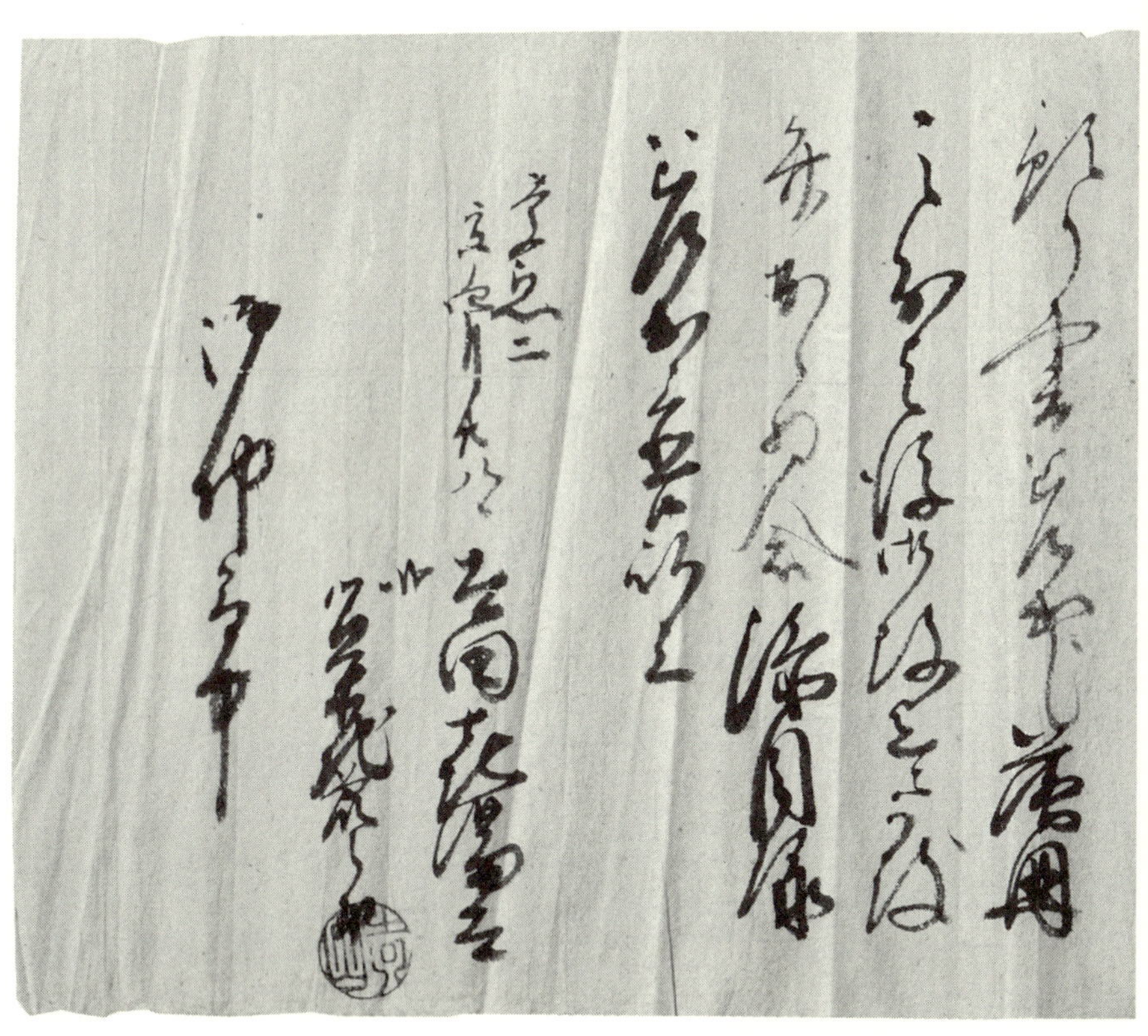

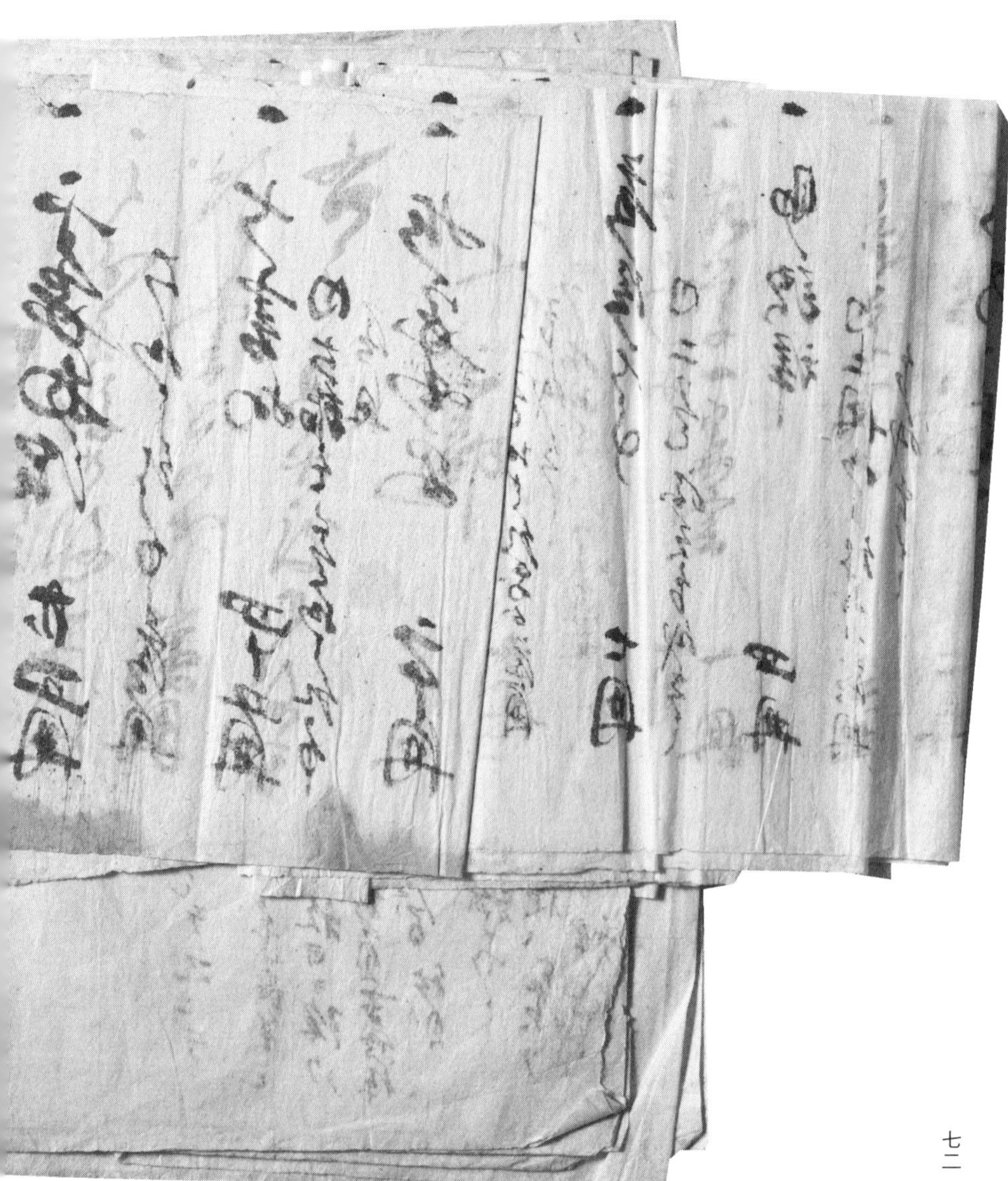

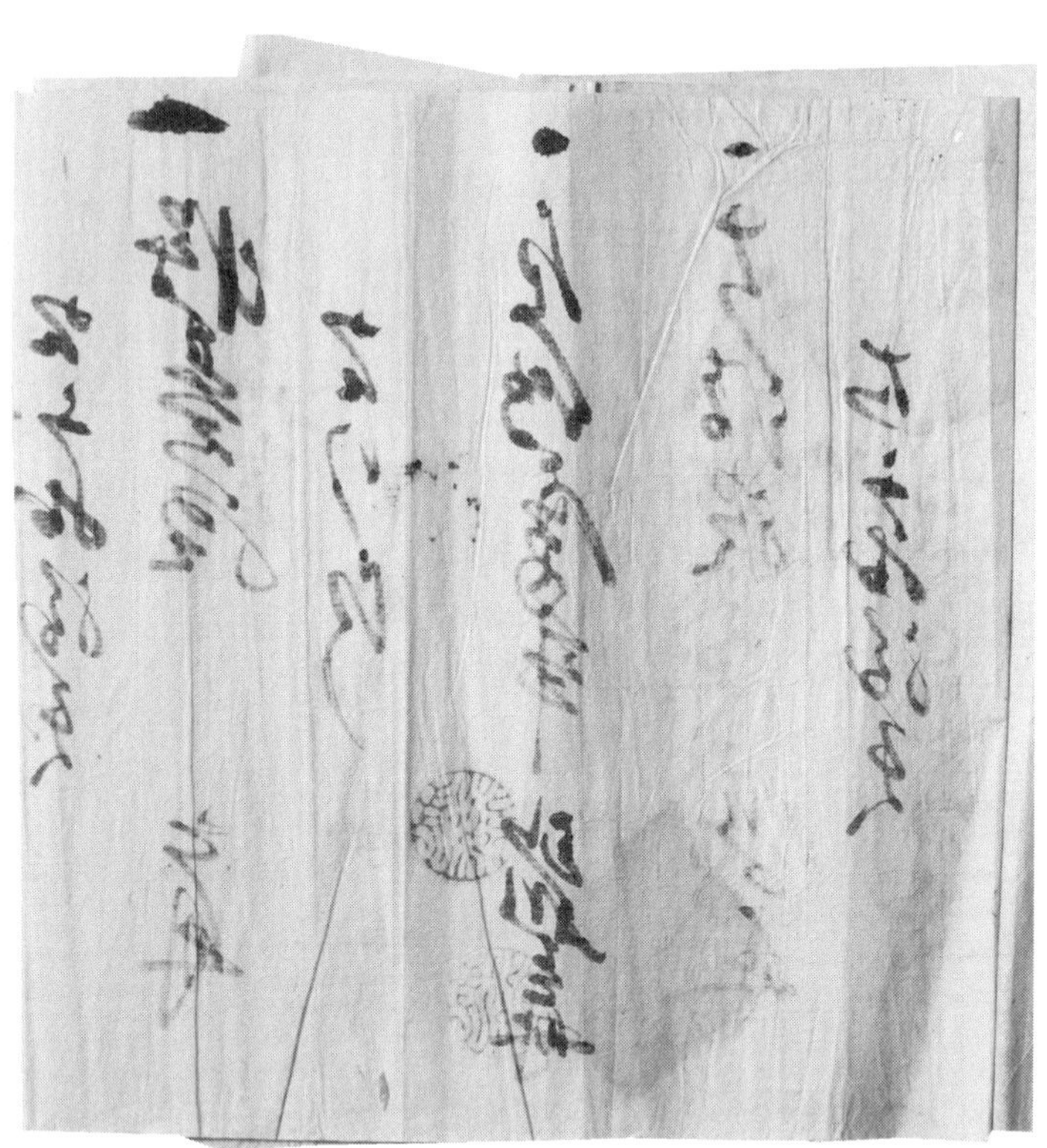

○　折り畳まれた一紙物は次頁以降に展開した。

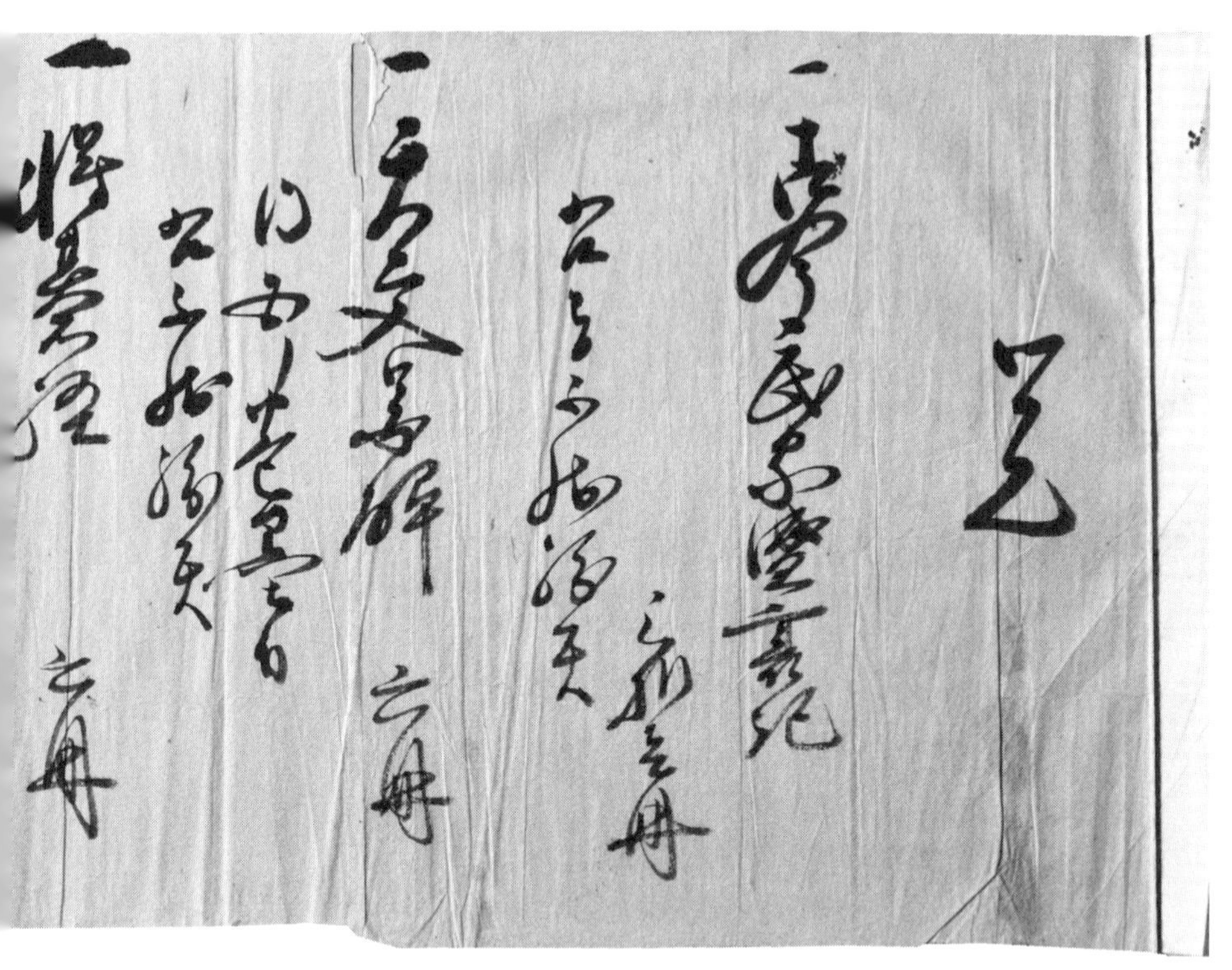

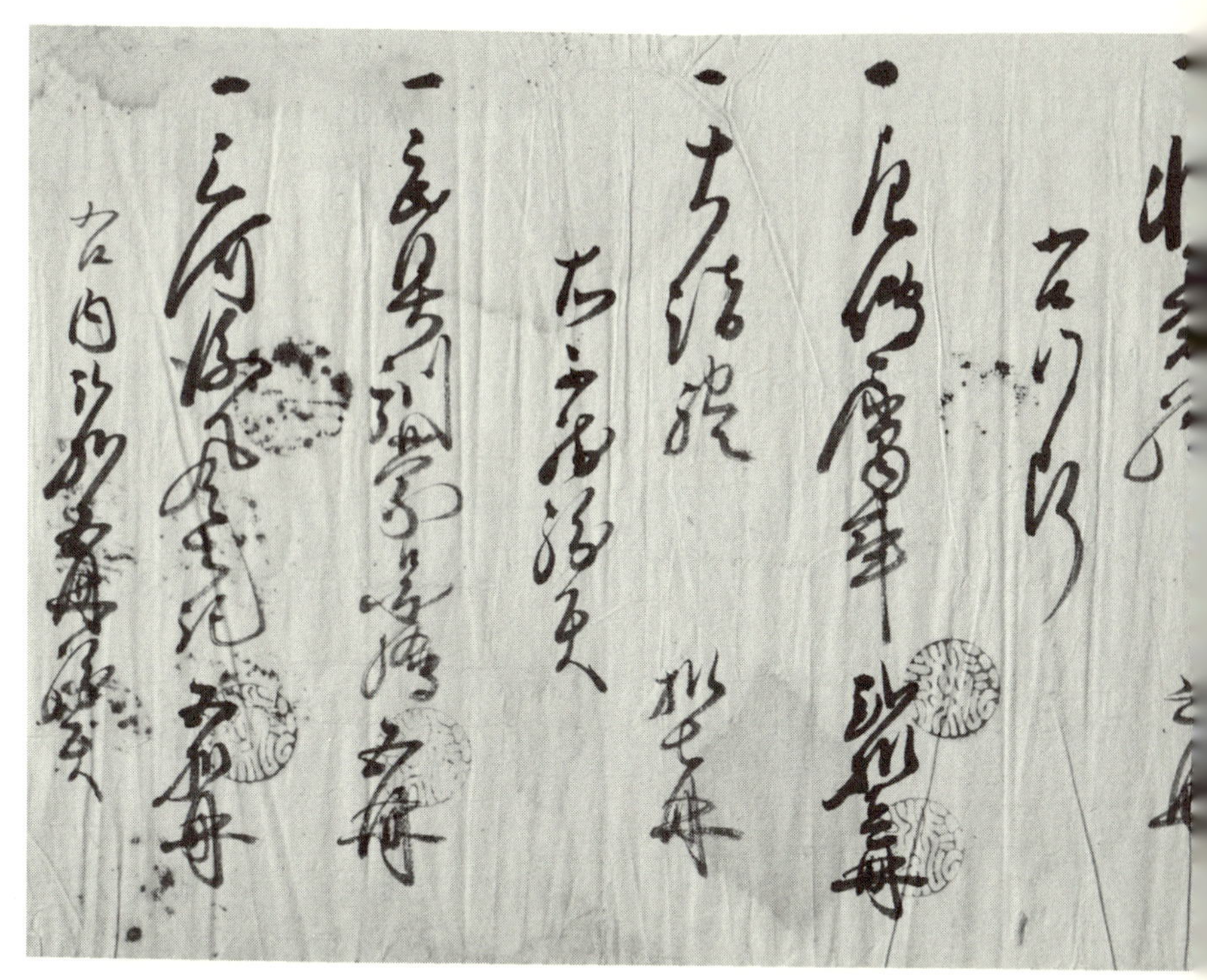

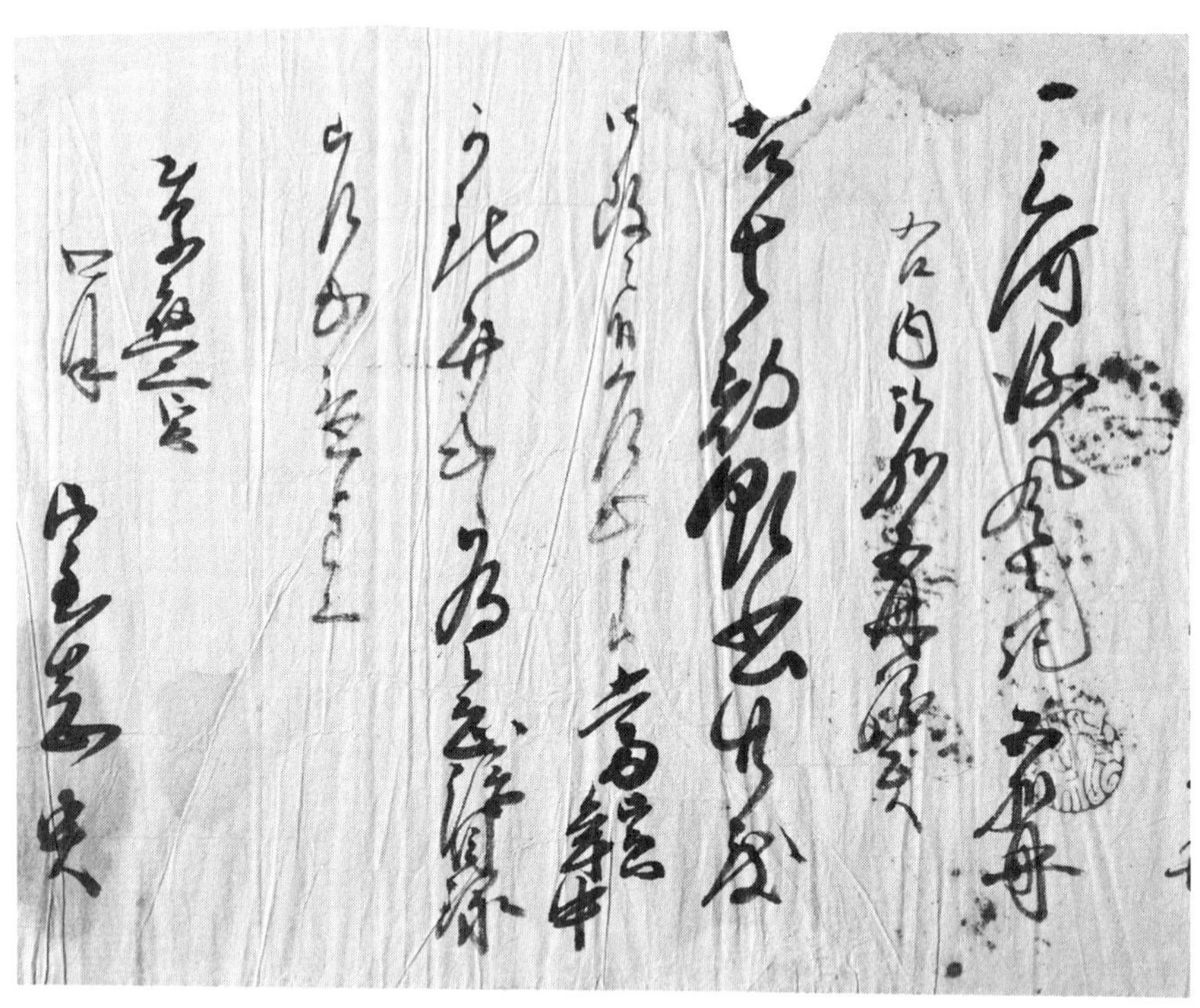

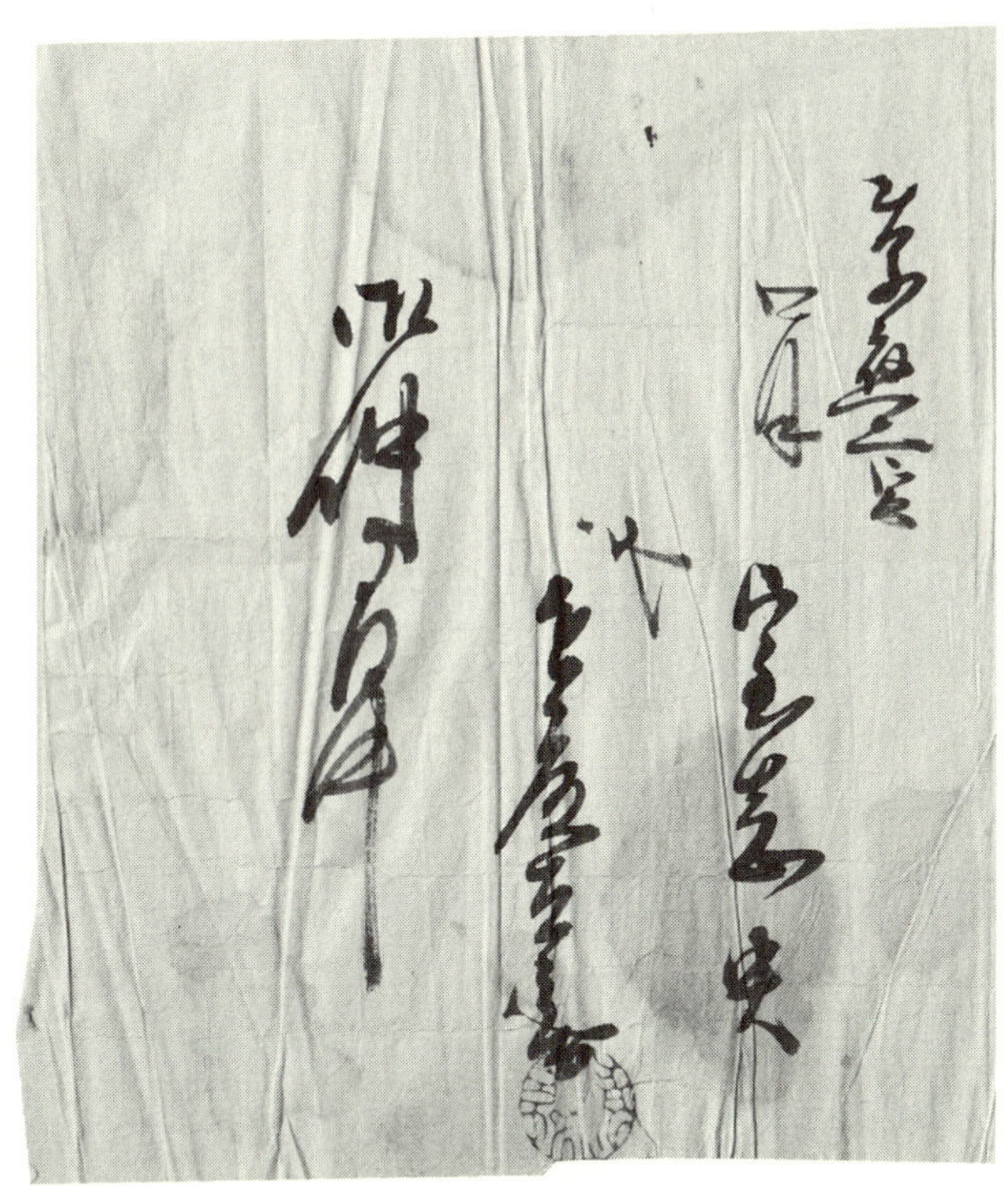

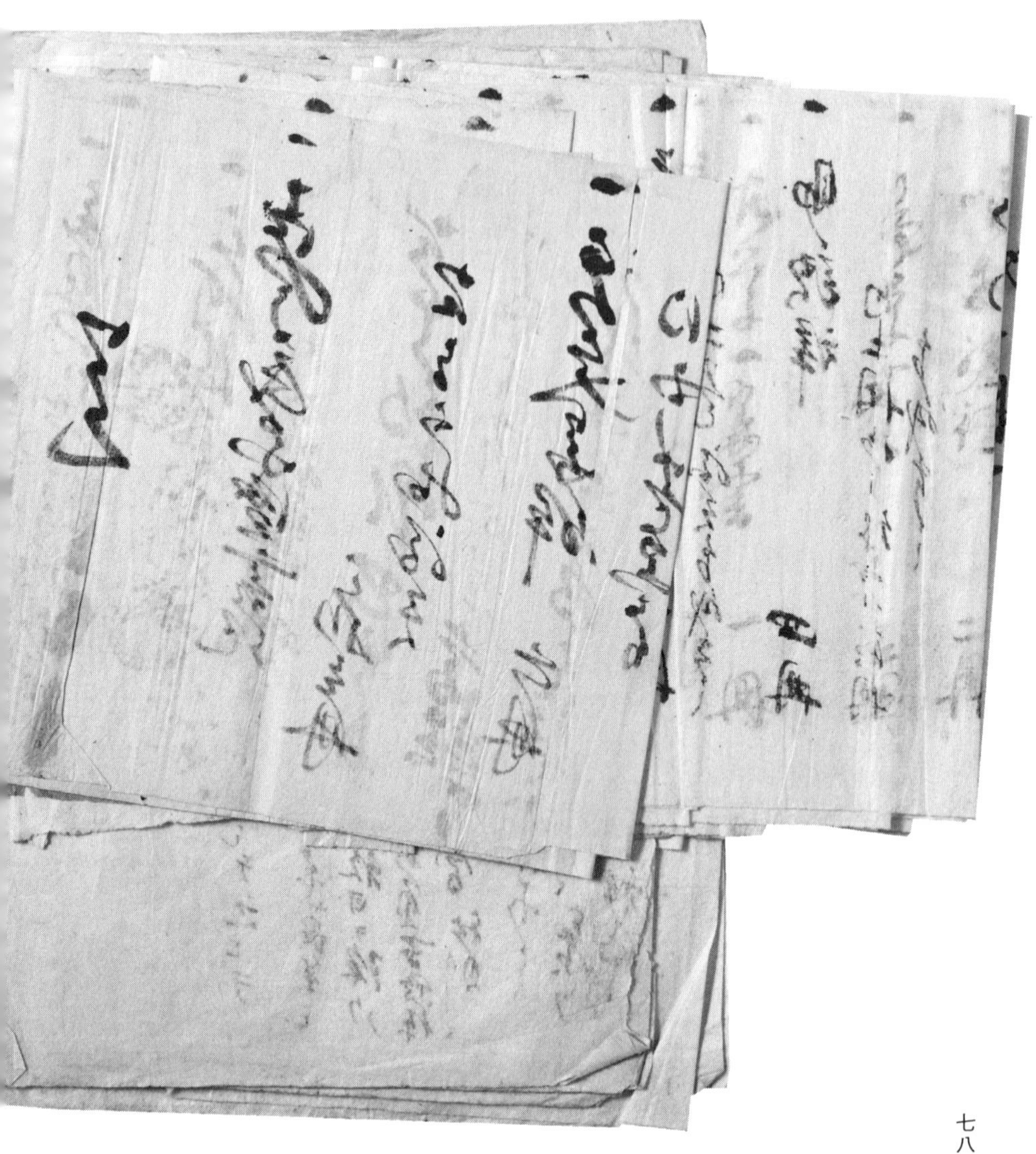

⑬

弘観舎蔵書目録

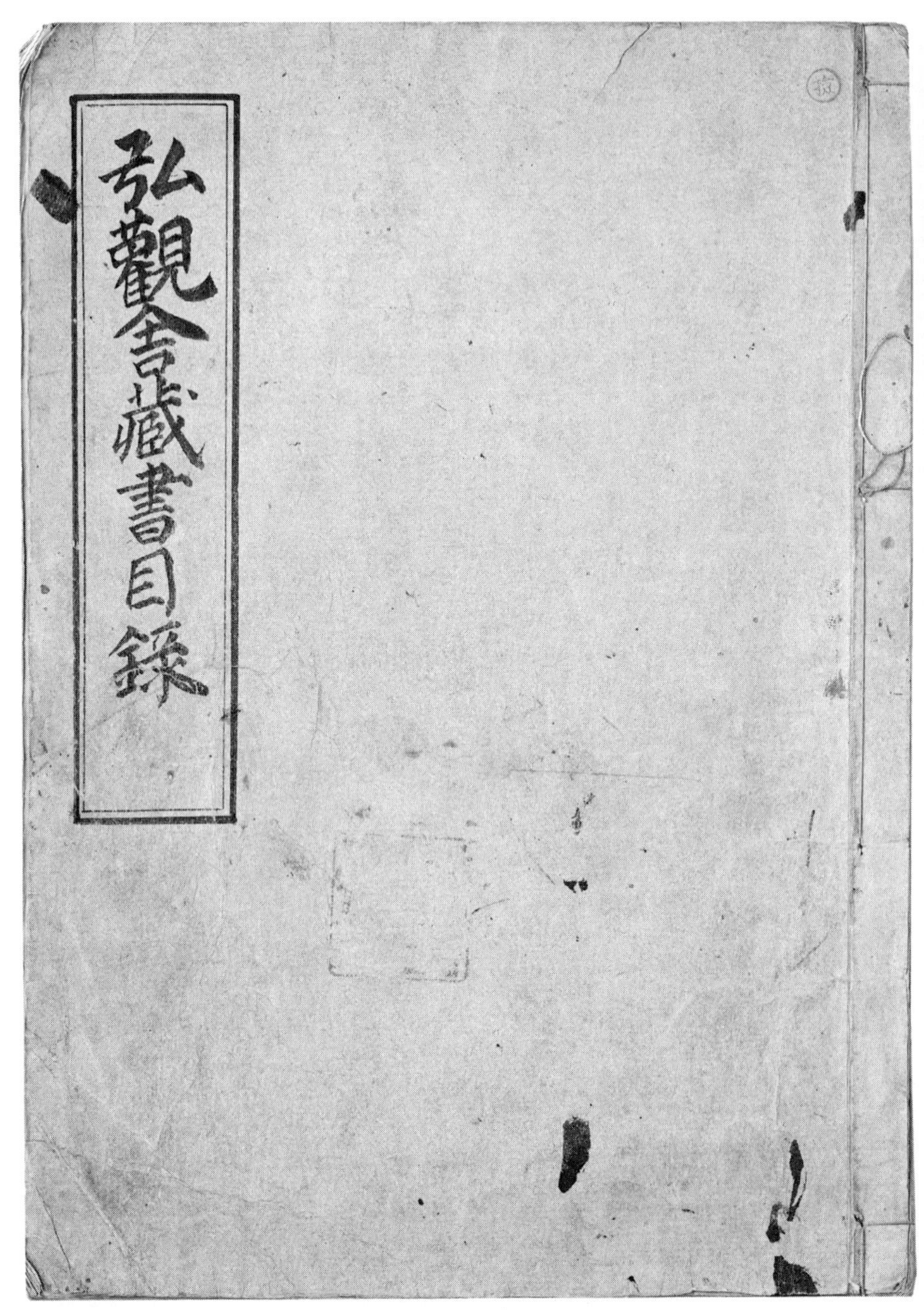
弘觀舎藏書目錄

特許罫紙八戸方面一手大賣捌所陸奥國八戸三日町

三五、一、一五、特許一五、 東京市京橋區南鍛冶町 [illegible]

凡例

一此篇ニ収ムル所ノ書籍部門類別ハ大抵
舊來弘觀舎所用ノ目録ニ從フト雖亦編
者ノ所見ニ任シテ變換シタルモノ少カラス或
ハ求覽者ノ意ト齟齬シ搜索上徒勞ノ

患アルハ又免レザル所ナルベシ看者之ヲ諒セヨ

一貴重及大部ノ書並ビニ保存ノ目的ヲ以テ委托セラレタルモノ等ハ散亂亡佚ヲ防カン為ニ館外ニ帯出スルヲ禁シタルモノアリ

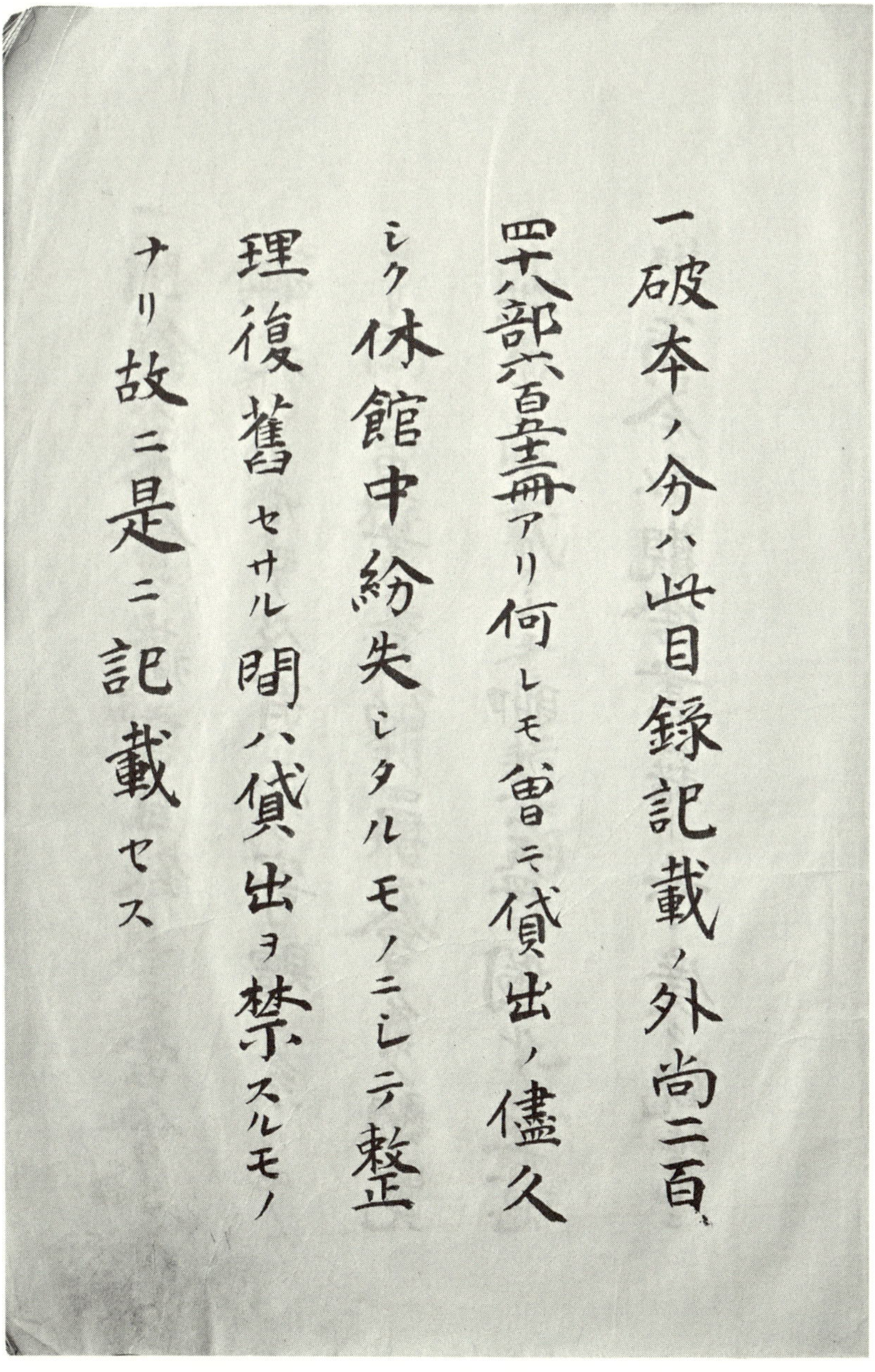
一破本ノ分ハ此目録記載ノ外尚二百
四十八部六百五十二冊アリ何レモ曽テ貸出ノ儘久
シク休館中紛失シタルモノニシテ整
理復舊セサル間ハ貸出ヲ禁スルモノ
ナリ故ニ是ニ記載セス

一附録ハ本會ノ藏書目録ニシテ當會ノ講求シタルモノ及有志ノ寄贈ニ係ルモノナリ固ト蒐書ノ目的ハ單ニ會負ノ閲覽ニ供スルタメナリシモ聊カ公益ヲ圖ルノ主意ヨリ爾令弘観舎書籍ト共ニ廣ク観覽ニ

供スルコト、ナシタリ

一此篇ニ収載スル書籍ハ明治二十九年十二月ノ調査ニ係ル其後新ニ増減スルモノハ他日目録ヲ調製スベシ

一此篇ハ實ニ草卒ノ際ニ成リ且ッ識者ノ手ニ

成レルモノニ非サレバ類別ノ錯誤必ス少カラサルベシ乃チ他日大家ノ教ヲ乞ヒテ是正スル所アラントス看者幸ニ之ヲ恕セヨ

明治二十九年十二月　日

八戸青年會圖書局

部門

第壹門　神典哲與宗教

第貳門　經子

第參門　法律政治　經濟

統計年表

第四門　史傳記録小説

第五門　教育修身
第六門　農工商
第七門　數學
第八門　博物理化　天文
　　　　地理
第九門　醫書

第十門 武書

第十一門 文章詩歌文典

第十二門 美術技藝

第十三門 字書類書

第十四門 雜書

第十五門　洋書

弘觀舎藏書目録

明治七年六月開設

第壹門　神書　哲學　宗教之類

書目	附著訳者	冊	備考	架
鼇頭古事記		三		二
神代記葦牙	藤原士満撰	三		二
神代正語常盤磐草	伯耆冨述	三		二
神祇具記大宗廟天照大神祠	部龍熙述	三		二
三才諸神本記	寺島良安述	五		二
日本書紀神代巻		二		一
標註古語拾遺	村上忠順標註	一		一
神風紀	正田以正著	二		一
訓蒙假名古事記	大関克、西野古海和解	三		二

造化三神略説	可部赤邇撰	二	一
神典採要通解	山口起業撰	四	二
三則私言	佐原秦嶽述	一	一
神教大意	松下・永福論	一	一
三條演義翼	松野勇雄述	一	一
説教大意	大久保好伴述	一	一
祭典略	藤原宜隆撰	一	一
喪儀畧	古川躬行著	一	一
祝詞考	加茂眞淵著	三	二
神事略	古川躬行著	一	一
神事須知	古川躬行著	一	一
神社啓蒙	白眉軒宗周著	八	二

神代道志るべ 條壽延房纂		一		一
教導職必携 中村秋香編	折	一		一
西要抄		二		一
開目抄 日蓮著		二		一
竹林鈔 竹林寺道敎上人		二		一
天地萬物造化論 齋王柿撰		一		一
心理學 西周訳 明治十五年九月印行		一	洋装	一
自然神教 箕作麟祥訳		四		二
社會哲學 林包明著		一	洋装	一
百科全書 北歐鬼神誌 蘭鑑訳		一	洋装	一
心理學 西周訳 明治十二年二月印行		二	洋装	一
思想之法 鈴木唯一訳		一	洋装	一

與波禰傳	一		一
馬留古傳	一		一
馬太傳	一		一
路加傳	一	三部	一
羅馬書	一	二部	一
希伯來書	一		一
使徒行傳	一	二部	一
東教宗鑑	一	三部	一
天道溯原	一	唐版	一
耶蘇降世傳	一	仝	一
聖經圖記	一	仝	一
聖教初學要理 伯多祿瑪利亞源著	一		一

書名	冊数	装	
公教日課 伯多禄瑪利亜准著	一		一
洗禮試驗	一		一
日誦經文	一		一
聖會歷	一		一
百科全書 洋教宗派 若山儀一訳	一	洋装	一
百科全書 自然神教及道德學 箕作麟祥訳	一	仝	一
百科全書 回教及印度教佛教 大島貞益訳	一	仝	一
耶蘇教排撃論 津田純一 須田辰次郎訳	一	仝	一
人心論 川本清[illegible]二訳	一	仝	一
哲學通鑑 和田瀧次郎訳	四	仝	二

館外貸出禁止之部

第壹門 神書 哲學 宗教ノ類

書目 附著訳者	冊	備考	架
日本書紀	十二	欠本	二
神代巻藻鹽草 玉木正英著	六		二
舊事本記 蘇我馬子等撰	五	二部	二
書記集解 河村秀根集解	二十		三
日本記神代抄	七		二
神代巻講述抄 山本廣足記	五		二
神學類聚鈔神道篇 藤原時縄編	四	欠本	二
神教要旨	一		一
三大考 服部中庸著	一		一

靈能眞柱	平田篤胤著	二		一
玉襷	平田篤胤著	九	欠本	二
鼇頭旧事記	蘇我馬子等撰	五		二
神代紀髻華山蔭	本居宣長著	一		一
厓堂録鈔		九		二

第二門　経子類

書目　附著譯者	冊	備考	架
經訓堂本墨子　項帯畢沅撰	五		一
大學章解　太田錦城著	三		一
近思録　宋朱熹呂祖謙編　貞享五年刊行	四		一
中庸章解　太田錦城著	三		一
大學章本釋義　朝川鼎五鼎父著	一		一
孔子家語　太宰春臺增註　寛保二年刊行	五		一
歴代荃宰録　林恕撰　寛文七年刊行	二		一
春秋左傳補註　清恵棟著	三		一
仁説三書　太田錦城著	二		一
中庸解　物茂卿著　宝暦三年刊	二		一

疑問録 太田錦城著	二		一
小學定本 岡本賢藏校正	四	二部	一
帝範 唐太宗撰	二	和版	一
春秋胡氏傳 宋胡安國撰	一		一
性理字義 宋陳淳撰 寛文十年刊	二		一
傳習録 明徐愛等編 正徳二年刊	四	和版	一
古文尚書國字解 宇佐恭寛編 明和三年刊	五		一
論語參解 鈴木常以著	五		一
講孟劄記 吉田松陰著	五		一
古文孝經	一	四部	一
孝經大義詳解	三		一
論語古訓 太宰春台著 元文四年刊	二		一

論語集解 魏何晏集解 享保十七年刊	一		一
論語假名附	一		一
大學 朱熹註	一		一
易經	二		一
詩經	二		一
老子鬳齋講義 林希逸著 明暦三年刊	二		一
中庸古註補闕 鄭玄註 延享四年刊	一		一
中庸輯略	二	二部	一
仁說要義	一		一

特許罫紙八戸方面一手大賣捌所陸奥國八戸三日町書店青霞堂

館外債出禁止之部

第二門　經子類

書目　附著譯者	冊	備考	架
易經大全　明胡廣等敕撰	十三	唐本	二
詩經大全　明胡廣等敕撰	七	唐本	一
春秋大全　明胡廣等敕撰	十一	唐本	二
禮記大全　明胡廣等敕撰	十	唐本	二
書經大全　明胡廣等敕撰	六	唐本	一
周禮註疏　漢鄭玄公註、唐賈公彥疏	十	唐本	二
禮記疏註　漢鄭玄公註、唐孔穎達疏	十五	唐本	二
儀禮註疏　漢鄭玄註唐賈公彥疏	八	唐本	一
孟子註疏大全合纂　明張溥纂	八	唐本	一

書名	冊數	備考	部數
論語註疏大全合纂 明張溥纂	八	欠本 唐本	一
大學註疏大全合纂 明張溥纂	一	唐本	一
中庸註疏大全合纂 明張溥纂	二	唐本	一
公羊傳 漢何休撰 寛文某年刊行	七	和版	一
解荘 宇津木益夫解	二十四		二
孟子論文 竹添進一郎録	七		一
論語古訓外傳 太宰春臺著	十		二
論語集解義疏 魏何晏集解 梁皇侃義疏	十		二
近思録示蒙句解 仲敬甫解	十	二部	二
小學大全 陳撰増註 慶安三年刊行	十	和版	二
詩書古傳 太宰純輯 寶暦八年刊	十五		二
國語 呉韋昭解 寶暦十一年刊	五	和版	一

書名	冊数	備考	版	部数
淮南鴻烈解 漢高誘註 劉安著 寛正十年刊	九	欠本	和版	一
左傳觿 岡白駒著 寶暦庚辰年刊	五			一
性理大全 承應二年刊	五十一			三
汪份増訂 四書大全 嘉永七年刊	三十九	欠本	和版	三
莊子鬳齋口義 林希逸撰 寛文版	合本 五			一
莊子鬳齋口義 林希逸撰	十			二
春秋左氏傳 林唐翁解 寛文元年刊	二十五			二
穀梁傳 王道焜校 寛文元年刊	六			一
春秋左氏傳集解 杜氏集解	十五	二部		二
朱子文語纂編 安政二年刊	十五		和版	二
三禮圖 朱聶崇義著 寶暦十一年刊	三		和版	一
大戴禮記 漢戴德著 正徳六年刊	二		和版	一

左傳註疏正義	孔穎達疏、杜氏註 萬暦十九年刊	十九	欠本		三
小學句讀口義詳解		十一	欠本		二
大學章句大全	明胡廣等撰	一		和版	一
大學或問大全	明胡廣等撰	一		和版	一
中庸章句大全	明胡廣等撰	二		和版	一
中庸或問大全	明胡廣等撰	一		和版	一
論語集註大全	明胡廣等撰	十		和版	二
小學纂註	高愈纂註 文政五年刊	四		和版	一
中庸或問	明胡廣等撰	一		和版	一
大學或問	朱熹撰	一		和版	一
莊子口義大成俚諺鈔	毛利定齊述	四篇 九	欠本		一
左傳句讀直解	林堯叟註	二十四	欠本		三

第三門 政治 法律 經濟 統計 年表之類

書目	附著訳者	冊	備考	架
大日本陸軍刑法註釋	戸田十畝編述	一		一
訴訟獨安内	大塚祐英編輯	一		一
公法會通		五		二
報徳富國論	岡田良一郎著	三		二
富國策	徳三丁題良撰	三		二
監獄則并附圖式		二		一
新策正本	頼山陽先生著 安政二年刊	三		二
辛未政表	杉亨二編纂	一		一
官許訴答文例 附罰則付録 附證券印税心得早見出		一	折	一
千葉縣治一覧表		一	折	一

書名・編著者	冊数	装丁	
大日本刑法一覽表 飯田恒男編纂	折 二		一
現行改正 徵兵令俗解 上村秀昇纂輯	一		一
治罪法草案註解	四		二
政家必携 各國年鑑 川路寛堂譯	二		一
泰西經濟新論 高橋達郎訳述	八		二
人民必携 博聞社編輯	十四		三
海外國勢便覽 内田中傳士編輯	一		一
明治教詔 植村泰直編纂	一		一
今書 蒲生秀実著	二		一
家政要旨 永峯秀樹訳	三		二
改定律例	一		一
埋氏英国議院典例 小池靖一訳	二	洋装	一

書名	著訳者・刊年	冊数	装丁・備考	
聯邦商律	藤田九二 訳述	一		一
新貨條例	明治六年十一月刊	一		一
刑法類纂	司法省蔵版	三		二
泰西新論	林 正明著	一		一
百科全書 經濟論	堀越愛国訳	二		一
官令沿革表	明治十年	壱	洋装	一
各国統計一覧		一	洋装	一
権理提綱	尾崎行雄訳	一		一
英政沿革誌	大島貞益訳	一	洋装	一
性法講義	井上操 筆記	一	全	一
讞原鈔	速水房常校訂	二	二部	一
官讞知要		二		一

書名	編著者	冊数	装丁	部数
日本国會史	三苫正之編	一		一
勸業緊要官令類集	福岡縣編纂	一	洋装	一
改正官民必携	土屋庸次編纂	一	洋装	一
改正増補官民必携	設樂晴美編纂	一		一
性法略	神田孟恪訳	一		一
學校幼稚園書籍館博物館一覧表	文部省 明治十四年	一	洋装	一
新令増補内国地主必携	松浦宏編纂	折		一
國債要覧	翻訳局訳述	一	洋装	一
衛生現行規則	大森惟中編纂	一	洋装	一
百科全書英國制度國資	横瀬文彦訳	一	洋装	一
歴代教諭統纂	鳥屋部紹胤編	一		一
英米賣買法	相馬永胤著	一		一

改正再閲 日本民法草案註釈 佛国ボアソナード氏起稿	二	洋装	一
小學經濟 家政要旨二編 永峰秀樹編輯	二		一
百寮訓要抄	一		一
訴答文例	一		一
政治格言 原弥一郎纂訳	一		一
新律綱領 改正律例 合巻	三		二
法書至要鈔	一		一
諸罰則一覧表	一		一
孛国憲法 井上毅訳	一		一
民事 訴答筌蹄 大藏将英著	一		一
改正 徴兵令註解 渡辺賀次郎註解	一		一
佛國法典改正論 岸本辰雄 内藤直亮訳	一	洋装	一

特許罫紙八戸方面一手大賣捌所陸奥國八戸三日町書店吉慶堂

刑法講解 中島信行講義	二	洋装	一
刑法治罪法合巻	一	二部	一
英氏經濟論 小幡篤次郎訳	五		二
孛國地方官治一斑 荒川邦藏訳	二		一
治罪法 區戸長必讀 只野龍次郎著	一		一
政體	一		一
政治略原 伊礼之訳述	二		一
下関償金 米國上下兩院議事録	一		一
仏蘭西公法附政法 黒川誠一郎講義	一		一
現行 日本税法 鎌田寛、渡部豫次郎輯	一	洋装	一
日本 議員必讀 長尾景弼編輯	一		一
土地處分 地券例規全書 槙田忠三郎編輯	一	洋装	一

刑法註釋	村田保註釋	八		二
本邦法令	小沢謹步著	二		一
寶氏経濟學	永田健助訳述	五		二
政論彙纂	長谷川德三郎編	一		一
出版條例	文部省	一		一
和蘭州法	神田孝平訳	一		一
英国憲法	林正明訳述	一		一
経濟新話	大野直輔著	二		一
佛蘭西法律書 訴訟法	箕作麟祥訳	四		二
和蘭司法職制法	神田孝平訳	一		一
改置府縣概表		一		一
経濟要旨	西村茂樹訳	二	二部	一

[illegible]八戸方面一手大賣捌所陸奥國八戸三日町[illegible]

書名・著者	冊数	装丁	
西洋法律うひまなひ　中金正衡著	一		一
和蘭邑法　神田孝平訳	二		一
経濟入門　林正明訳述	四		二
佛国警察要論　根岸錦重訳	五	洋装	二
現行民事刑事訴訟手續　小室泉美治編纂	一		一
分權政治　若山儀一撰	初編 一		一
治罪法疑義問答　内藤直亮氏著	一		一
社會組織論　山口松五郎訳	一		一
議員必携　林正明訳述	一	洋装	一
律書訓解　外村三行有師訓解	三		二
租税全書　林正明訳述	六		二
佛国民法釋義　箕作麟祥譯	三	洋装	二

書名			
職官表　記録課編纂	一		一
青森縣學事第十一年報	一		一
青森縣學事第十二年報	一		一
青森縣學事第十三年報	一		一
日本年表　石坂吉平編輯	一		一
和洋對暦表　丁抹国撫蘭仙編次	一		一
文部省第一年報	一		一
文部省第二年報	一	洋装	一
文部省第三年報	二	洋装	一
文部省第四年報	二	洋装	一
文部省第六年報	一	洋装	一
文部省第七年報	一	仝	一

特許罫紙八戸方面一手大賣捌所陸奥國八戸三日町書店青霞堂

文部省第八年報 附録付	二	二部洋装	一
文部省第九年報 附録付	二	二部洋装	一
文部省第十年報 附録付	二	洋装	一
文部省第十二年報 附録付	二	仝	一
文部省第十三年報 附録付	二	仝	一
青森縣學事第十年報	一		一
聯邦商律 藤田九二譯 明治七年刊行	一		一
職原鈔 速水房常校訂	合本 一		一
西史年表 西村鼎重器訳	三		一
史籍年表 伴信友著	一		一
文部省第十一年報 附録付	二	洋装	一
官令沿革表 明治十二年	一	洋装	一

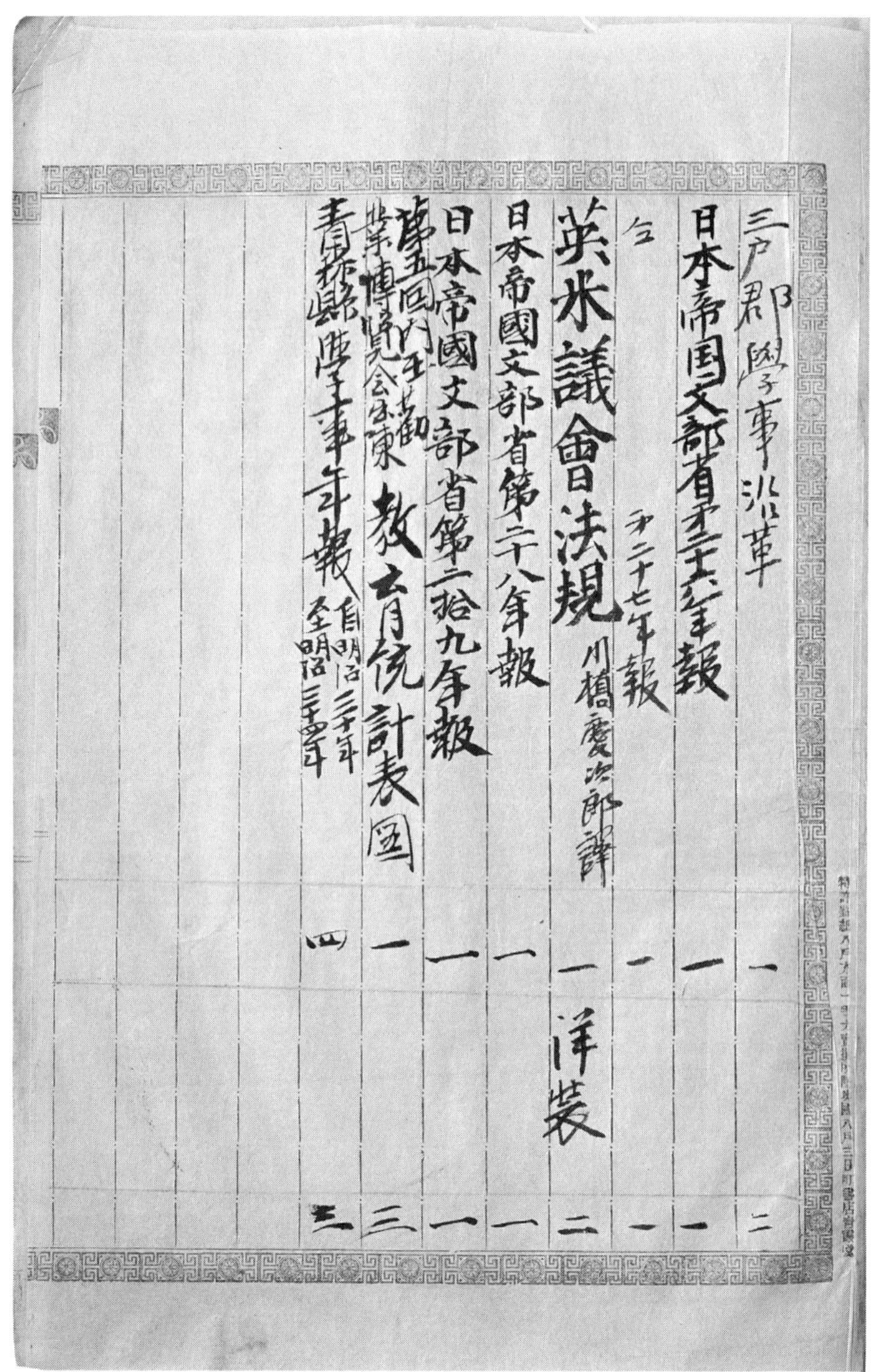

書名	冊数	備考	部数
三戸郡學事沿革	一		二
日本帝国文部省第二十六年報	一		一
仝 第二十七年報	一		一
英米議會法規 川橋慶次郎譯	一	洋装	二
日本帝國文部省第二十八年報	一		一
日本帝國文部省第二拾九年報	一		一
第五回内国勧業博覧会出陳 教育統計表図	一		三
青森縣學事年報 自明治二十年 至明治三十四年	四		三

館外貸出禁止之部

第三門　政治　法律　経済　統計　年表之類

書目　附著譯者	冊	備考	架
令義解	十一		三
政談　物茂卿撰	十一	写本	三
百錬草	一	写本	一
職原鈔聞書	二	写本	一
刑法論綱　林量訳	九		二
明律　享保八年	九	和版	二
延喜式	四十	欠本	三
江家次第　林鵞校訂　慶安二年刊行	十九	欠本	三
五憲法　延寶八年刊行	四		二

書名	撰者・訳者	冊数	備考	
法曹至要鈔	坂上兼明撰 寛文弐年刊行	四		二
民法論綱	何礼之譯	六		二
統計學	箕作麟祥訳	十		二
校倉政要記并附録		三	写本	二
佛蘭西法律書民法	箕作麟祥訳	十四	欠本	三
国法汎論	加藤弘之訳	七	欠本	二
制度通	伊藤長胤輯	八		二
紀州政治草		一	写本	一
国法汎論	加藤弘之訳	七	欠本	二

第四門 史傳記録小説ノ類

書目 附著譯者	冊	備考	架
日本政記 頼襄子成著	八		二
皇朝史略 青山延于著	十	二部	二
續々皇朝史略 石村貞一纂	七		一
萬國記註國史略 近藤瓶城 新井新纂輯	七		一
近世日本外史 関機著	六		一
元明清史略 石村貞一編	五	二部	一
元明史略便蒙 藤澤先生輯	二		一
標註十八史略讀本 大賀富二補	七	二部	一
十八史略講義大全 島崎友輔著	六	合本	一
歴代要覧 見参考	二		一

書名	著者	冊数	部数
日本政記翼解	加藤勤著	三	一
傳疑小史	中井積德遺稿	一	一
國史略	岩垣先生編	五 二部	一
日本外史纂論	石川鴻齋著	六	一
通語	水哉館遺稿	三	一
小學外史	青木輔清著	五	一
皇統略記	平野知雄編	一	一
日本略史	笠間益三編	八	三
國史集要	山名留三郎編	三	一
國朝史略	草場廉著	四	一
歴史擥要	原田用巳編	六	一
日本略史	師範學校編	二	一

皇統小史	大屋愷𢾺著	四	一
小學日本歷史	石村貞一編	三	一
御國史	太田秀敬著	五	一
國史訓蒙	清原道彦述	三	一
小學國史	小林虎編	六	一
内國史略	南摩綱紀編	三	一
國史通解	稲垣千頴著	三	一
國史攬要	棚谷元善編	十三	三
史略		四	一
近世内國史略	太田秀敬編	四	一
佛國史略	田中耕造譯	十	二
羅馬史略	大槻文彦編	十	二

希臘史略	楯岡良知譯	七	一
日耳曼史略	後藤達三譯	十	二
泰西史鑑	西村茂樹譯	九	一
外國史略	西村兼文編	四	一
佛國古今通史	桂山政篤譯	二	一
條約國史略	土屋政朝・高見澤茂纂輯	二	一
合衆國史記	林正明訳	一	一
合衆國小史	桑田親五訳	四	一
英史	大島貞益纂訳	五	一
萬國史略	師範學校編	二	一
西洋史略	永井譲藏譯	三	一
十八史略便蒙	村山居稽編	三	一

書名・著者	冊数	備考	
萬國通史　作楽戸痴鶯譯	九		二
歐羅巴文明史　永峰秀樹訳	十四	二部	三
内外史略　北川舜治編	三		一
改正再刻 英史　大島貞益註　明治七年刊	十一		二
支那國史略　沖冠嶺著	三		一
支那史畧　椎本寛則編	二		一
漢史一斑　小永井八朗編	四		一
西洋開化史　室田充美訳	二	洋装	一
具氏佛國史　文部省刊	二		一
小學國史略　藤本箭山著	一		一
國史案　木村正辞編	二	洋装	一
百科全書 希臘史　永井久一朗訳	一		一

三

Title	Translator/editor	Count	Binding	Count
百科全書 羅馬史	大井鎌吉訳	一		一
百科全書 太古史	柴田承桂訳	一		一
百科全書 中古史	松浦謙吉編訳	一		一
日耳曼國史	小林雄七郎訳	二	洋装	一
歐洲民力史論	川田徳次郎訳	二	洋装	一
泰西 革命史鑑	久松義典訳	三		一
近世太平記	吉村明道編	十二		二
復古夢物語	松村春輔編	二		一
鎌倉實記		五		一
賢女物語		五		一
死靈解脱物語		二	写本	一
本朝皇胤紹運録		一		一

鑒古録 横須賀安拔編	一	一
貞徳戴恩記	四	一
言行録輯釋 近藤元隆著	四	一
名臣言行録外集 季士英纂集	五	一
名臣言行録別集 季士英纂集	八	二
土佐日記抄	二	一
偉績叢傳 星亨編	七	一
宋名臣言行録後集 寛文七年刊	七	一
勢海日記 藤原葛満著	一	一
行在所日記	一	一
西洋英傑傳 作樂戸痴鶯譯編	四	一
殉難士傳 馬杉繫著	二	一

西哲小傳	吉田五十穗譯	一	一
今世説	清仁和王丹麓著	四	一
東萊博議	呂祖謙伯	四	一
山陽言行錄 象山言行錄 合卷	松村操編	一	一
義經再興記	内田弥八譯	一	一
經國美談前編	矢野文雄訳	一	一
新撰姓氏錄	寛文九年刊	一	一
孝子柏屋源太郎事實		一	一
有栖川二品親王歐米巡遊日記	林董編	一	一
近世英雄名譽新史	松本長四郎編	一	一
過庭紀談	雙桂原著	五	一
名義大意	色川御蔭著	二	一

明治孝節録	近藤芳樹著	四	一
史籍集覧總目録解題		一	一
渡邊幸庵對話	無名氏著	一	一
今物語 新国史 聚残本 和氣清麿参宇佐宮繪詞	源信寛 源俊房 及無名氏著	一	一
上杉家譜	無名氏著	一	一
備前老人物語		一	一
西行一生涯草紙	無名氏著	一	一
豊内記		二	一
浅井三代記	無名氏著	五	一
賤ヶ嶽合戦記		一	一
恩榮録	小田又藏著	一	一
空海大師傳記	信齊僧正著	一	一

特許罫紙八戸方面一手大賣捌所熊埸國八戸三日町書店声屋發

余隣夜話		一	一
飛彈國治乱記 大塔軍記 蘆田記		一	一
落穂集追加	無名氏著	二	一
神皇正統録		二	一
南海通記	香西成資著	三	一
菊地傳記	井沢長秀著	二	一
十三代要略	無名氏著	二	一
藤葉榮衰記		二	一
愚管鈔		五	一
宇多天皇實録		二	一
老人雜話		一	一
福嶋太夫殿御事	無名氏著	一	一

肥陽軍記	無名氏著	二	一
水鏡		二	一
月の行方	愛徳麗女著	二	一
三人懺悔冊子	無名氏著	一	一
弐目新編追加	無名氏著	一	一
姓序考	細井貞雄著	一	一
玉音抄 耳囊抄 天明江戸飢饉		一	一
後見草	亀岡宗山著	一	一
丹州三家物語		一	一
杢陰私語 館林盛衰記		一	一
士氣古城再興傳來記 國府台戰記 鴻台後記 長倉追討記 園部扶		一	一
大和軍記 和田系圖 囊書 関岡家始末 名古屋合戰記 清須合戰記		一	一

毛利元就記		一	一
島津家本東鑑	無名氏著	一	一
櫻雲記		一	一
兼山記 堂洞軍記		一	一
東鑑脱漏		一	一
六史要覽	無名氏著	二	一
中外經緯傳	伴信好著	五	一
北條五代記	三浦常心著	五	一
大鏡		五	一
里見九代記		一	一
鎌倉九代後記		一	一
清正記		一	一

田楽法師由来之事	無名氏著	一	一
島津家譜		一	一
雲州軍話	南宗軒多々良龍著	一	一
山門三井確執起	無名氏著	一	一
南方記傳	無名氏著	二	一
廢絶録		二	一
久壽筆叢	無名氏著	一	一
明良帯録		二	一
北條九代記	無名氏著	二	一
禮典抜萃		三	一
武藝小傳	日夏繁高著	二	一
備前文明乱記 妙善寺合戦記		一	一

書名		
備中兵乱記 太田水責記 湯川彦右エ門覺書	一	一
唐沢老談記 反畢大膳訴状	一	一
宗象軍記	一	一
新田老談記	一	一
以貴小傳 無名氏著	一	一
惟任退治記 紀州御発行記 四国及北国御動座記 任官記 本山豊前守安政覺書	一	一
九州紹運記	一	一
飛州軍覧記 飛州千光寺記 飛州三沢記	一	一
佐久間軍記	一	一
年中恒例記 諸大名出仕記 無名氏著	一	一
今川記	一	一
叡山大師傳 義真和上行状 慈覺大師傳 無名氏著	一	一

書名	著者	冊	
利家夜話	無名氏著	一	一
細川忠興軍功記		一	一
興福寺英俊法印日記		一	一
加澤平次左エ門覺書	加沢平次左エ門著	一	一
壽齋記		一	一
塵塚物語		二	一
太閤素生記 祖父物語		一	一
一柳家記 渡辺勘兵エ話		一	一
脇坂家傳記・中村一氏記		一	一
常陽四戦記 土岐累代記 水谷蟠龍記		一	一
庄西法師傳 唐律師調 琉客談記		一	一
鎌倉大草紙		二	一

特許罫紙八戸方面一手大賣捌所陸奥國八戸三日町當店發賣

		(数)	(冊)
會津陣物語	杉原親清著	三	一
足利季世記	無名氏著	二	一
諸寺塔供養記		一	一
慶長見聞集	三浦常心著	五	一
南海治乱記		九	二
安西軍策		四	一
古事談		三	一
増鏡		四	一
深澤城矢文	湘山屋移集 国見代々記	一	一
細々要記		二	一
老翁物語	無名氏著	一	一
川中島五度合戦次第 上杉輝虎注進状		一	一

書名	著者	冊数	部数
氏郷記	無名氏著	二	一
南蠻寺興廢記	無名氏著	一	一
耆舊得聞	小宮山昌季著	一	一
朝鮮陣事 細井廣澤記 颶風紀事、天明七年將軍宣下次第書	無名氏著	一	一
以傳五種		三	一
神明鏡	無名氏著	二	一
朝倉始末記		四	一
池の藻屑		四	一
續武將感状記		二	一

第四門　館外貸出禁止之部　類

書目　附著譯者	冊	備考	架
綱鑑易知録評林　石川鴻齋冠註	四十八		四
明鑑易知録評林　石川鴻齋冠註	七		一
漢書評林　活版	四十八	欠本	四
漢書評林萬暦三年印行	五十		四
増訂史記評林	二十四	欠本	三
円清外史　馬杉繋著	十三		三
後漢書　唐章懐太子註	六十		四
十九史略通考　曾先之編次	七		一
標註日本外史　頼又次郎標註	十三		三
國史評林　羽山尚徳編	八		二

史論 艮齋安積先生著	二	一
日本逸史 藤原緒嗣等勅撰 享保七年刊	十	二
烈祖成績 安積覺編	二十	三
清鑑易知録 村山緯伯經 永根鉉元鼎 編	八	二
歴代帝系參考 享保三年刊	五	一
懲毖録	三	一
野史 飯田忠彦	百	四
文德實録 藤原基経等勅撰 寛永六年刊	十	二
東鑑 寛永元年刊	二十五	三
皇朝戦略編 宮田敏著	八	二
續皇朝戦略編 高見猪之助著	五	一
日本全史 高谷龍州著	十	二

二五、一一、一五、校訂一五、 東京市京橋區南傳馬町 [illegible]

書名	冊数	備考	
日本外史纂論講義 雨森精翁口授	五	欠本	一
校正 王代一覧 春齋林恕編	八		二
近世 泰西通鑑 島田三郎外五名譯	二十七		三
參考太平記 元禄四年二月印行	六十四		四
護國女太平記	五	寫本	一
太平記要覧	八		二
眞田三代實記	五十	寫本	四
四國軍記	十		二
通俗列國志	十八		三
北魏南梁軍談	二十三		三
天神記圖會 僧蓮了著	五		一
通俗忠義水滸傳	九	欠本	二

書名	巻数	備考	冊数
通俗兩國誌	二十六	欠本	三
續太平記貍首編 貞享四年刊 清野芳通著	二十	欠本	三
関ヶ原記大全	七	欠 写本	一
太閤記 小瀬道喜輯録	九	欠本	二
通俗十二朝軍談	十八	寫本	三
清正記	七		一
信州仙人床	十一	寫本	二
平家物語	十二		二
北國太平記 馬場信意編集	十四	欠本	三
残太平記 南宗庵著	十二		二
天正軍記 太田和泉守著	八		二
國朝諫諍録 貞保五年刊	二		一

書名	冊数	備考	
諸家前太平記	十四		三
参考平治物語	六		一
参考保元物語	九		二
宇治拾遺物語	四	欠本	一
東国太平記 杉京彦左門親清選	十	欠本	二
通俗漢楚軍談	二十		三
通俗唐玄宗軍談	十八	欠本	三
武家忠臣記	九	欠本	二
武田三代軍記	二十	欠本	三
中興武家盛衰記	三十一	写本	三
長明発心集 寛文十年刊 鴨長明撰	八		二
北条九代記	十二		二

書名	冊数	備考	
四海太平記	十八	欠本	三
太平記大全	四十二	欠本	四
通俗續後三国志 馬場信武述	三十二	欠本	三
通俗續三国志	十六		三
鎌倉見聞志	中篇 八	写本	二
鎌倉見聞志	後篇 八	写本	二
初編太閤真顕記	九	欠本、仝	二
二編太閤真顕記	十	仝	二
三編太閤真顕記	十	仝	二
五編太閤真顕記	九	欠本、仝	二
六編太閤真顕記	九	欠本、仝	二
七編太閤真顕記	十	仝	二

書名	冊数	備考	
八編太閤真顕記	九	欠本、写本	二
九編太閤真顕記	九	欠本、全	二
十編太閤真顕記	十	全	二
十一編太閤真顕記	十	仝	二
十二編太閤真顕記	十	仝	二
特命全権大使米欧回覧實記	刻本 十		二
諸家大系図 藤原公定撰	十三		三
御年譜附尾	二十五	写本	三
家忠日記	二十五	同	三
東国太平録	一	写本	一
雑話筆記 神田白龍子編	二十五	写本	三
本朝武林伝	二十五		三

駿台雑話	鳩巣先生著	五		一
赤城義臣傳	片島深淵子編輯	十二	欠本 写本	二
大久保武藏鐙		八	全 写本	二
宋名臣言行録前集	朱熹纂輯	四	全	一
四大奇書		三十一	欠本	三
山崎賤ヶ岳合戦評論	元禄十六年刊	五		一
通俗戦国策	毛利貞斎述	十三		三
世説箋本		十		二
續世継	無名氏著	六		一
史鑑	武元立平著	十一		二
南山巡狩録		十六		三
栄花物語	無名氏著	十六		三

書名	著者	冊数	函
一代要記	無名氏著	十	二
今昔物語		十	二
總見記	遠山信春著	十一	二
太閤記		十	二
関八州古戦録	駒谷散人著	九	二
改正三河後風土記	成島司直改撰	二十九	三
史料叢書		十四	三
鎌倉管領九代記		七	一
原城紀事	川北喜右エ門著	八	二
参考源平盛衰記	徳川照武著	四十六	四
春日山日記	明治卅七年七月廿九日 雲門書籍廻入	九	二
奥羽永慶軍記	戸部一愍斎著	十六	三

特許罫紙八戸方面一手大賣捌所陸奥國八戸三日町書店青霞堂

重篇應仁記		九	二
扶桑畧記	無名氏著	八	二
歴代鎮西要略	仝	十一	二
續群書類従		七	一
古今著聞集	無名氏著	七	一
武邊叢書	伴信友著	十	二
通俗唐太宗軍鑑		二十	三
通俗忠義水滸傳		十四	二
豊薩軍記	長林樵隠著	七	一
南海治乱記		九	二
加賀藩史稾	永山近彰纂	八	二

第五門 教育 修身 書類

書目 附著訳者	冊	備考	架
三字経 諸葛彝註	一	和版	一
小学教師必携 諸葛信澄著	一		一
脩身論 阿部泰蔵訳 明治十三年九月刊	三	後篇共	二
小学色図解 榧木寛則著	一		一
女子立志編 久保田梁山編	一		一
近世女大学 土居光華編	一		一
女訓 荻原裕著	一		一
幼稚園記 関信三訳	四		二
生徒訓條 田寺光著	九		二
修身児訓 亀谷行編	十		三

小學脩身讀本	鈴木貞次郎編	四		二
小學脩身課書	南摩綱紀編	五		二
脩身幼訓	木澤成粛著	五		二
小學行儀法	関口宇之助	一		一
小學修身訓	西村茂樹著	二	三部	一
小學中等讀本	木澤成粛編	三	二部	二
小學教育新篇	西村貞訳	四		二
普通裁縫教授書	渡辺辰五郎編	三		二
児童教草	村 小川持正著	一		一
子供育草	村田文夫訳	二		一
童蒙必讀	橋爪貫一著	三		二
普魯士學校規則	柴田承桂訳	一	洋装	一

書名・著訳者	編	冊数	備考	装丁	部数
教育史 西村茂樹訳		二		洋装	一
民間教育論 庵地保著		一			一
學校通論 箕作麟祥著		九			二
脩身口授 文部省印行		一			一
單語編 千葉縣翻刻		一			一
日本小學脩身論 松田敏足著		四			二
修身論 阿部泰蔵訳 明治七年一月刊	前編	一			二
彼日氏教授論 文部省印行		一	二部	洋装	一
塞兒敦氏庶物指教 永田健助、関藤成緒訳		二		洋装	一
加爾均氏庶物指教 黒沢壽任訳		二		洋装	一
米國學校法 文部省刊行 フランクリン、ビーホー編		二		洋装	一
教師必讀 米國チャールス、ノルゼント著 ファンカステール訳		一		洋装	一

小學教育論	小泉信吉、四屋純三郎訳	一	二部 洋装	一
威氏脩身學	大井鎌吉訳	二	洋装	一
日本教育史略	小林儀秀訳	一	仝	一
理事功程	文部省印行	一	仝	一
母親ノ教	大井鎌吉訳	一	仝	一
和氏授業法	山成哲造訳	一	仝	一
學校管理法	伊沢脩二著	一	二部 洋装	一
平民學校論略	村岡範為馳訳	一	洋装	一
教育新論	高橋秀夫訳	一	仝	一
博物教授論	白井毅著	一		一
作文教授法	石井鈎三郎編	一		一
說教手引草	小川持正著	一		一

書名	著訳者	冊数	装	
學校衛生論	松山誠二編	一	洋装	一
加氏教授論	甲斐織衛訳	一	仝	一
法國育教説略	石橋好一訳	一	仝	一
小兒養育談	石橋好一訳	一	仝	一
小學口授養生談	天野敬著	一	仝	一
米國教育年表	小林正雄訳	四		二
智氏家訓	永峰秀樹訳	五		二
日本品行論	荒野文雄著	五		二
米国教育報告	文部省印行	四		二
小學近道	桂潭嶋先生著	一		一
女三字經	琴臺東條先生著	一		一
和語陰騭録	明袁了凡著	一		一

女子讀本	池田觀編		五		二
閲智新編	橋爪貫一纂		八		二
勸善新篇	高木態三郎著		二		一
佛國學制	佐沢太郎訳		十		三
小學口授物品談	天野皎著		一	洋装	一
小學口授物理談	永沼小一郎著		一	仝	一
改正教授術續篇	若林虎三郎、白井毅編		二		一
小學綴字篇	片山淳吉著		三		二
育児小言	沢田俊三訳	初編	二		一
うひまなび	柳川春蔭編		一		一
太田氏會話篇			二		一
英語傍訓實語教	性成主人纂		一		一

書名	著者等	冊数	備考	部数
訓蒙詞林琴	橋爪貫一輯	一		一
畫學教授法	本多錦吉郎訳	一	洋装	一
勸善口授	總生寛著	二		一
教育如伴	松濤陟智著	一		一
初學生徒心得	吉見經綸編	一		一
纂通吳禀報	文部省刊行	一		一
訓蒙勸懲雜話	和田順吉訳	一	洋装	一
小學口授歷史談	松本英忠著	一	洋装	一
朱氏治家格言見訓		一		一
齊家寶	張仲嘉輯 元祿壬午年刊	四		二
童蒙入學門		一		一
手引草百首	小泙一敏著	一	二部	一

書名			
小學生徒心得	一	二部	一
訓蒙叢談　海老名晋訳	二		一
脩身論略　吉見経綸編	二		一
東京大學一覧略表	折　一		三
教育品陳列式場學事一覧表	折　一	洋装	一
教育品附言抄	一	洋装	一
文部省教育雑誌合本	七		三
師範学校 中学校 高等女学校 検定済教科用図書表	一		一
検定済教科用図書表（小学校用）	一		一
第五回内国勧業博覧会出陳 教育統計表図	一		三
	一		一
	一		一

館外貸出禁止之部

第五門　教育　脩身　書類

書目	附著訳者	冊	備考	架
先賢遺範	馬場健編	八		二
幼學綱要	宮内省蔵板	七		二
技術教育進歩論	ウオルター氏原著	一	写本	一
小學脩身新書	岡本監輔編	四	欠本	二
幼童示圖	文部省製本所發行	袋二		一
和論語	清原良業撰	十		三
青森縣學事年報	自明治三十年至明治三十四年	四		三

第六門 農工商書類

書目 附著譯者	冊	備考	架
堰堤築法新按 大鳥圭介譯	一	洋装	一
商船必要 渡邊尚編	一	洋装	一
訓蒙農業往来 橘慎一郎著	一	二部	一
西洋農家訓 神田豊譯述	二		二
農業往来 二編	一		一
鳫皮栽培録 楳原寛重著	一		一
農業往来	一		一
養蠶事實 佐貝義胤先生口授	三		二
農學提要 杉山親・吉見義次譯 初編	二		二
牧牛説 杉山安親譯	三		二

小學讀本 農學路志留遍	提正勝著	二		二
栽培精理志	賀雷山編	一		一
小學農書	志賀雷山編	二		二
農學往来	總生寛著	四		二
馬經大全	馬師問編	四		二
增補桑茶蠶機織圖會	梅殿通文著	五		三
桑茶蠶機織圖會	梅殿通文著	二		一
百科全書 花園	大井鎌吉譯	一	洋装	一
百科全書 菜園篇	大村一歩譯	一	洋装	一
百科全書 豚兎食用鳥籠鳥篇	永井久一郎譯	一	洋装	一
百科全書 蜜蜂篇	坪井為春譯	一	洋装	一
百科全書 馬	錦織精之進譯	一	洋装	一

書名	著者	国	冊	装	部
百科全書 牛及採乳方	河村重固譯		一	洋装	一
日本産物志	伊藤圭介著	武蔵	二		二
日本産物志	伊藤圭介著	信濃	二		二
日本産物志	伊藤圭介著	山城	二		二
日本産物志	伊藤圭介著	近江	二		二
日本産物志	伊藤圭介著	美濃	三		二
農商訓蒙	杦根達郎著		三		二
農学初歩	志賀雷山著		四		二
樹木栽培法	今津厚白纂譯		一	洋装	一
獨乙農務觀察記	農務局編纂	水産部	一	洋装	一
養蠶圖解	平再能鶴著		一		一
農学新論	菊澤七郎譯		二		二

農家矩	綿田氏著	三		二
農家教草	島桂潭著	一		一
生産道案内	小幡篤次郎譯	二		二
有毒草木圖說	清原重巨輯	二		二
草木性譜	清原重巨撰	三		七
百科全書 百工應用化學篇	牧山耕平譯	二		一
銀行形情	三輪信次郎譯	七	洋装	二
農家必讀	大蔵永常著 小崎是成編	初編 三		二
百科全書 蒸汽篇	小林義直譯	一	洋装	一
百科全書 土工術	大島貞益譯	一	洋装	一
百科全書 金類及錬金術	錦織精之進譯	一	洋装	一
百科全書 陶磁工篇	錦織精之進譯	一	洋装	一

百科全書 織工篇 梅浦精一訳	一	洋装	一
菓木栽培法 藤井徹著	八		二
航海術試験問答 山田昌邦譯	二		一
西洋更紗染法書 東京勧業課蔵版	一	洋装	一
内外折衷實地染色法 中村喜一郎著	一	洋装	一
西洋染色法 済藤實尭譯	三		二
繪具染草藥品略説 竹内久兵工輯	一	洋装	一
思貽齋管城二譜 廣澤先生著	一		一
水産彙考 織田完之著	一		一
麑海魚譜 白野夏雲編	二		二
商法小學 工藤助作譯	一		一
小學商業書 塚原苔園著	一		一

書名	著訳者	冊数	装丁	部数
工作提要	廣瀬元周訳	三		二
農工全書	宮崎柳條編	初編五		三
海產論	濱野定四郎 伊東茂右エ門譯	一	洋裝	一
諸氏材力論	瓜生寅譯	一	洋裝	一
蘭均氏土木學	水野行敏譯	二	二部 洋裝	一

館外貸出禁止之部

農工商書類

第六門　書目　附著譯者	冊	備考	架
斯氏農書　岡田好樹譯	五十三		三
培養秘録　佐藤信淵口授	四		二
土性辨　佐藤信景先生著	三		二
商標公報	合本七		二

第七門 數學書類

書目 附著譯者	冊	備考	架
三角術 神保長致編纂	一		一
幾何本原 筧昇三編輯	一	洋裝	一
代數學階梯 今村謙吉、塚谷逸郎編	初編二		一
代數學 冢本明毅校正	二	一二	一
方程式問題 田口虎之助抄譯	三		一
點竄必攜 森川金吾著	初編二		一
筆算摘要 神津道太郎譯	五		一
算學教授書 中條澄清譯述	五		一
算學教授書答數 中條澄清譯述	五		一
比例法 植村泰通算纂輯	一		一

書名	著者	冊数		
商用算術	藤堂景泰抄訳	三		一
小學正則小數題林	山本文一郎編	二		一
小學和洋算法	内藤文融編輯	八		一
筆算階梯	阿部圜編輯	四	一二三四	一
高等小學筆算教授書	筧昇三 辻敬之著	六		一
筆算うひまなび	前田利享編	三		一
開法新式	中條澄清譯述	四		一
數學教授本	神田孝平編	二		一
代數學階梯	今村謙吉 塚吾逸郎編	試編 一		一
小學算術書	師範學校編輯	五		一
普通裁縫算術書	渡辺辰五郎編輯	一		一
度量考摘要	楫八貫一著	一	二部	一

書名・著者	冊数	備考	
算學歴史 片山平三郎抄譯	一	洋装	一
實地早算 筧昇三編述	一	全	一
記簿法獨學 粟原立一著	一		一
簿記學精理 呉新一譯	二		一
小學正則 單式簿記學 松井惟利編輯	二		一
簿記學階梯 森下岩楠・森島修太郎著	二	二部	一
銀行簿記用法 山田十畝著述	三		一
馬耳蘇氏 複式記簿法 小林儀秀訳	三		一
馬耳蘇氏記簿法 小林儀秀訳	二		一
測量地略 丙生 實編	四	後編共	一
酒桶丈量早法 尾崎謹次郎著	一	洋装	一
百科全書 算術及代數 佐原純一譯	一	洋装	一

簿記法原理	圖師民嘉抄譯	一	洋装	一
西洋度量早見	吉田庸徳譯	一		一
代數新書	西田保明著	六		一
筆算通書	静庵花井先生編輯	二	二部	一
測地略	瓜生寅編	二		一

館外貸出禁止之部

第七門　数學書類

書目	附著譔者	冊	備考	架
幾何學原礎	山本正至・川北朝鄰譔	七	二部	一
幾何學原礎例題解式	川北朝鄰編輯	五		一
筆算題叢	山本正至・田沃昌永編輯	十四	欠本	一
筆算題叢答式	山本正至・田沃昌永編輯	十五	欠本	一
歷算全書	宣城梅定九先生著	二十四	唐本	一

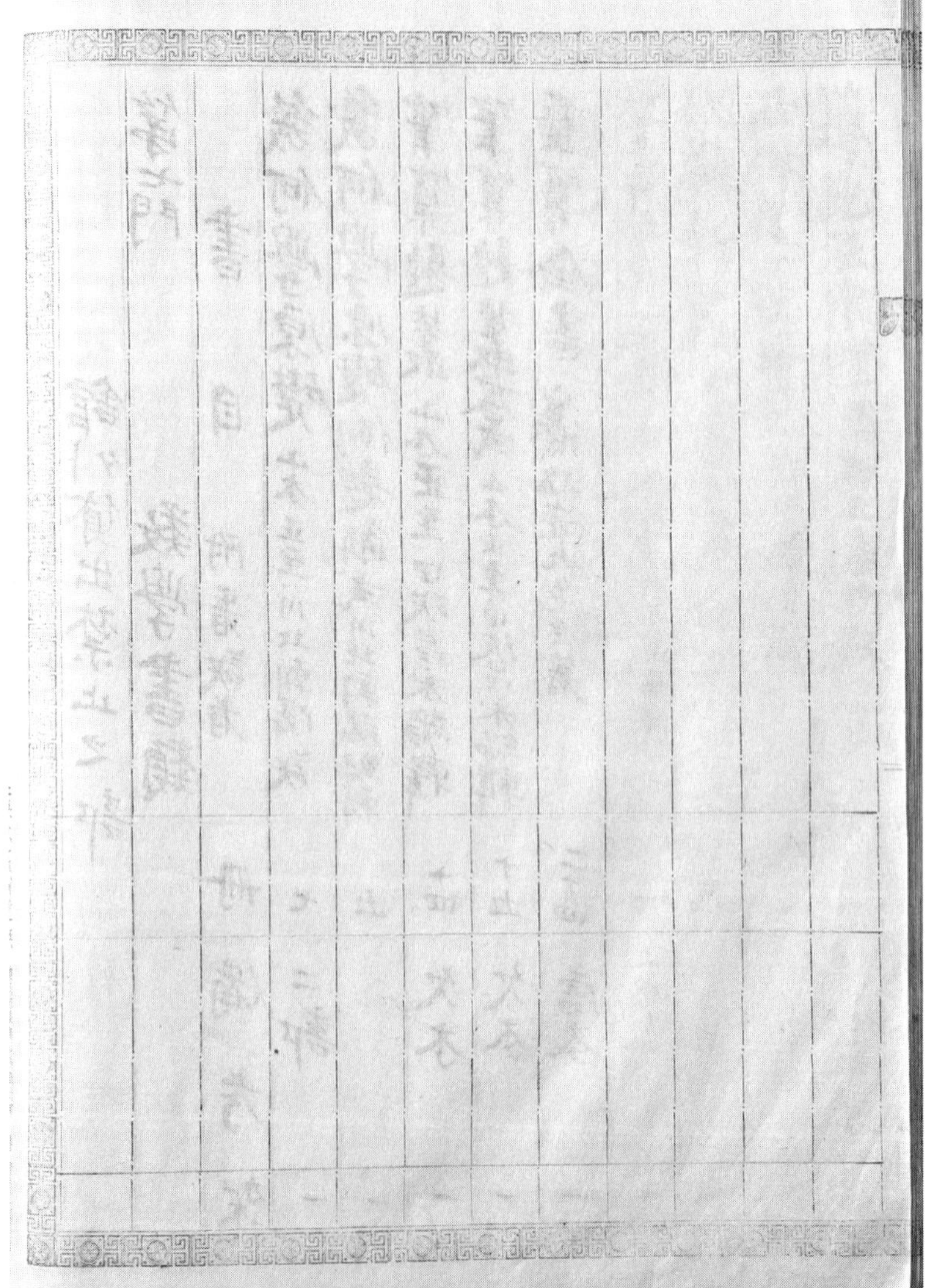

第八門　理化博物地理天文類

書目 附著譯者	冊	備考	架
百科全書 光學及音學 日原昌造譯	一	洋装	一
百科全書 重學 後藤達三譯	一	洋装	一
百科全書 物理學 小島銑三郎譯	一	洋装	一
物理日記 日耳曼国リッテル氏口授	七		二
格物入門 美國丁韙良撰	七		三
登高自卑 村松良粛抄輯	四		二
物理全志 宇田川準一譯	十		三
格物入門和解 丁韙良著	七		三
究理通 屋形一貫譯	初編 二		一
化學闡要 土岐頼徳譯	二		一

書名				
化學訓蒙 石黒忠悳譯	八		三
羅斯珂氏化學 茂木春太譯	六	洋裝	三
試驗升屋 三崎尚之、松本之盛譯	二		一
化學日記	六	二部	二
試驗階梯 三崎嘯輔譯	七		三
中學化學書 磯野德三郎述	九		三
普通動物學 丹波敬三、柴田承桂纂	一	洋裝	一
動植物採集標本製作法 岩川友太郎編	一	洋裝	一
應用動物學 練木喜三、瀧田鐘四郎纂	三	洋裝	二
化學真理 下山順一郎口述	一	洋裝	一
新式化學 太田雄寧譯	十		三
元素化合量一覽表 宇田川準一輯	一		一

書名・著者	冊数	装丁	部数
百科全書 時學及時刻學 河村重固訳	一	洋装	一
通常動物 辻敬之著	一		一
動物小誌 岩川友太郎、白井毅編	一		一
動物小學 松本駒次郎譯	二		一
植物學教授本 三橋惇纂	二		一
植物通解 矢田部良吉譯	一	洋装	一
植物生長如何 大内健、今井秀之助譯	上篇 一	洋装	一
通常植物 辻敬之著	一		一
植學譯筌 小野職愨譯	一	洋装	一
植物小學 松村任三纂訳	二		一
植物小誌 白井毅編	一		一
百科全書 植物綱目 長谷川泰譯	一	洋装	一

特許罫紙八戸方面一手大賣捌所陸奥國八戸三日町書店[illegible]

書名・著者	篇	冊数	装	部数
植學淺解 小野職愨譯	初篇	一		一
日本植物圖說 伊藤圭介著	初篇	一		一
各府縣金石試驗記 明治八、九年分		二	洋装	一
通常金石 辻敬之著		一		一
礦物小學 白井毅編		一		一
金石小誌 松本榮三郎訳		一		一
晶形學 並附圖 和田維四郎編		二	洋装	四
入學新書 福沢英之助譯	初篇	二		一
小學博物圖說 山下嚴麗編		三		二
博物小識 菅野虎太郎譯		二		一
博物階梯 須川賢久編		三		二
訓蒙道理圖解 中村一翠纂輯		二		一

西洋学校多識新書 芳川萬三郎譯	一		一
地理論略 荒井郁之助譯	壱	二部 洋裝	一
勞氏地質學 佐澤太郎譯	二	二部 洋裝	一
官版輿地誌略 内田正雄纂輯	三	二部 洋裝	二
日本地誌提要 地誌課編纂	八	洋裝	三
百科全書 歐羅巴地誌 高橋幹二郎譯	一	洋裝	一
百科全書 亞細亞地誌 四屋純三郎譯	一	洋裝	一
百科全書 英倫及威爾斯地誌 大塚綏次郎訳	一	洋裝	一
百科全書 蘇格蘭地誌 須川賢久譯	一	洋裝	一
百科全書 南亞米利加地誌 宮崎駿児譯	一	洋裝	一
百科全書 亞弗利加及大洋洲地誌 鈴木良輔譯	一	洋裝	一
洛氏天文學 内田正雄、木村一歩譯	二	二部 洋裝	一

書名	著訳者	部数	装	冊数
埼玉縣地誌略	伊藤直、西村正三郎編	一		一
地理描圖法	石橋好一譯	一		一
萬國道中記	須藤時一郎、吉田賢輔訳	二		一
地理初歩	師範学校編	一		一
萬國地誌階梯	松村精一郎譯	一	洋裝	一
西洋沿革圖説	藤井和七郎譯	一		一
地理略	中上川彦次郎著	一		一
日本地圖草紙ノ文	中上川彦次郎著	一		一
東京府地理教授本	村上珍休編	一		一
陸奥地誌略	青森縣師範學校編	一		一
暗射圖符號解	久保讓次編	一		一
日本暗射地圖符號解	飯島半十郎編	一		一

書名	著者		
日本地誌略	師範學校編	四	二
萬國地誌略	師範學校編	三	二
日本地誌略	大槻修二著	二	一
小學地誌	南摩綱紀編	二	一
清國地誌	岸田吟香纂	三	二
和蘭通舶	江漢司馬峻撰	二	二
大日本沿海實測録	伊能忠敬測定	十四	三
地理小學	林堯三郎 鈴木義宗編	二	一
天文學	鈴木義宗編	二	一
天學新説	呉文聰譯	二	一
地質學	瓜生寅、薗鑑訳	二	一
五洲紀事	寺内章明訳	三	二

書名	著訳者			
兵要日本地理小誌	中根淑著	三		二
兵要萬國地誌（理）小誌	近藤圭造訳	六		三
萬國地誌略物産辯	齋藤時泰編	三		二
地文學初歩	片山平三郎訳	四	二部	二
坤輿圖識	箕作寛省吾著	三		二
坤輿圖識補	箕作寛省吾著	四		二
地球説略	米国禕理哲著	三		二
學校用地文學	関藤成緒訳	二		一
星學捷徑	関藤成緒訳	三		二
萬國概誌	岡田輔年輯譯	初編 二		一
萬國地誌略問題集	藤田虎雄編	三		二
訓蒙天然地理學	島山啓訳	三		二

書名	著者		
地球儀教授書	總生寛編	一	一
日本地理撮要	大橋操吉誌著	二	一
風水秘録	西岡玉全著	三	二
暗射地球圖解	吉田傳次譯	一	四
國史略沿革圖	河野通之著	一	一

館外貸出禁止之部

第八門 理化 博物 地理 天文ノ類

書目 附著譯者	冊	備考	架
格物全書 小宮山弘道譯	十六		三
具氏博物學 須川賢久編	十		三
牙氏初學須知 田中耕造譯	十五	二部	三
長暦	十二		一
古暦便覧	一		一
大日本國全圖 地理局地理課	折 一		四
兵要地理小誌全圖	折 一		四
大日本暗射圖	折 一		四
朝鮮八道之圖 林子平圖	折 一		四

書名		数	備考	
暗射地球譯圖 吉田傳次譯	折	一		四
世界全圖	幅	一		
習圖紙	袋	一	十六枚入	四
地理描圖法模範圖		一		四
日本全圖	幅	二		
大日本一統輿地分國圖 酒井彪三編	折	五十九	洋装	四
日本暗射地圖	幅	一		
地球并大日本暗射圖	幅	一		
日本全圖 結城正明鐫	折	二		四
世界全圖	折	一		四
暗射地球全圖	幅	二	壱部	
地球儀		一		

第九門　醫書類

書目　附著譯者	冊	備考	架
外科説約　石黒忠悳纂述	三		一
製薬式　杉田玄端譯	三		一
養生新編　鈴木良輔譯	四		二
増補訂正 初學人身窮理　松山棟庵増補　明治十五年	二		一
衛生委員要務　嶋義之編	一		一
診法要訣　長谷川泰譯	二		一
衛生概論　柴田承桂譯	三	洋装	一
簡明衛生論　柴田承桂・丹波敬三良譯	一	洋装	一
肺労治論　仁田桂次郎著	二	洋装	一
衛生汎論　大井玄洞譯	二	洋装	一

書名・著訳者			
忍耐療法治験略記 山川幸喜著	一	洋装	一
獨乙局方 大河本聴松譯	一	洋装	一
内科病論 伊勢錠五郎譯	三	洋装	一
弗氏生理書 坪井為春 小林義直譯	七	三部	三
生理問答 松尾耕三著	三		一
理學診断法 小林義直譯	六		二
解剖學動脈編 佐々木師興譯	二	二部	一
中毒療法 新宮凉園譯	一		一
衛生大要 叨山聴松編	二	二部	一
百科全書 醫學篇 坪井為春譯	二		一
痘疹論 規白園先生 文化七年刊	二		一
人身生理學 松山誠二纂述	三		一

書名	冊	装	部
養生抄言　藤田利勝編	一		一
西洋養生論　横瀬文彦　阿部弘国譯	二		一
初學人身窮理　松山楝庵　森下岩楠譯	二		一
改正小學人体問答　中里亮著	一		一
運氣論　劉温舒選　慶安二年刊	二		一
薛氏醫案　寛永六年	一		一
阿蘭陀流外科書　寛文十年刊	一		一
藥法書	二		一
病論俗解集　寛永己卯刊	一		一
断訟醫學　テーッツ講義	一	洋装	一
動物電氣論　鈴木萬次郎譯	一	洋装	一
水の善悪　大河本聴松譯	一	洋装	一

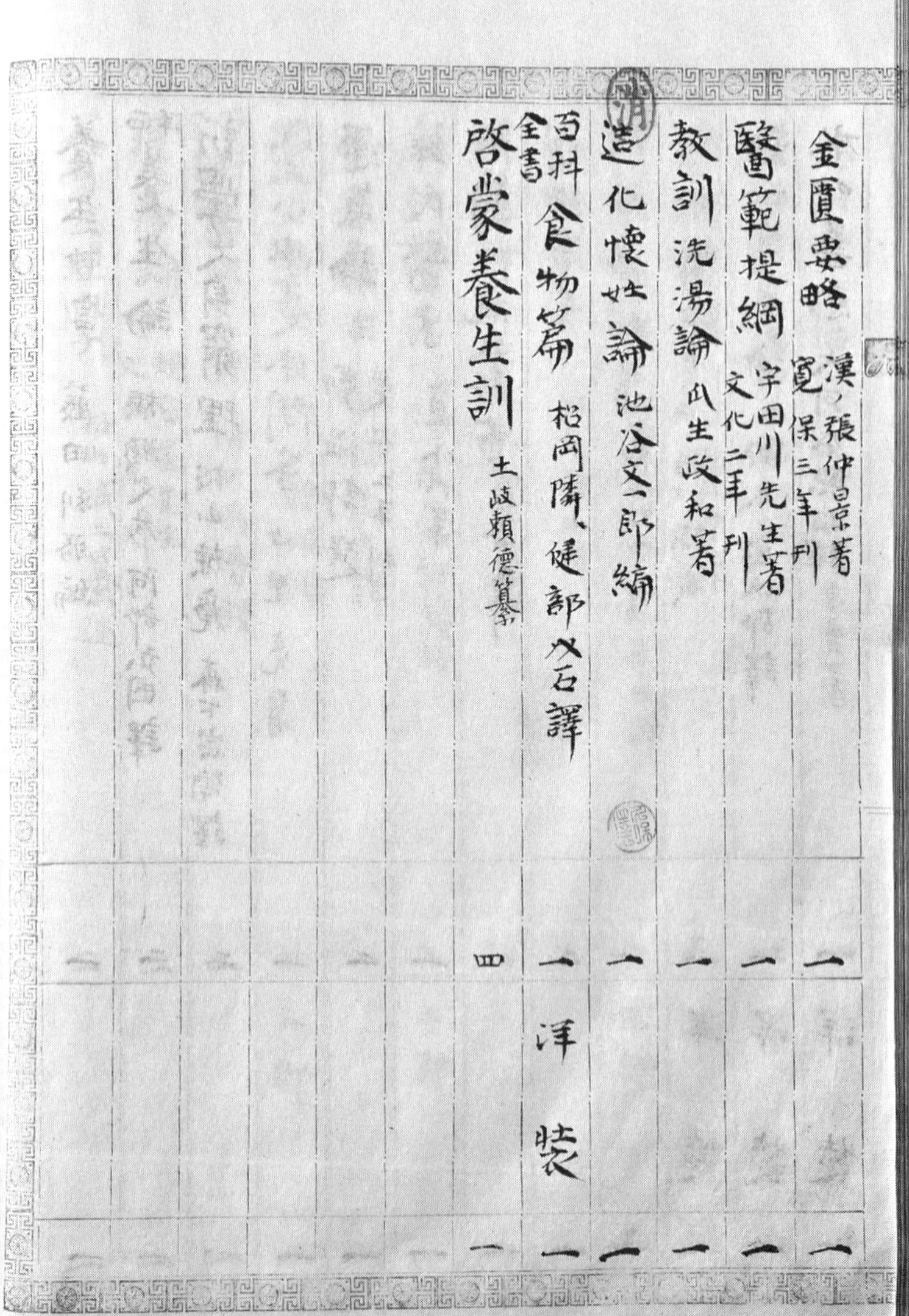

金匱要略　漢　張仲景著　寛保三年刊	一		一
醫範提綱　宇田川先生著　文化二年刊	一		一
教訓洗湯論　山生政和著	一		一
造化懐妊論　池谷文一郎編	一		一
百科全書食物篇　松岡隣、健部叺石譯	一	洋装	一
啓蒙養生訓　土岐頼徳纂	四		一

館外貸出禁止之部

第九門　醫書類

書目　附著譯者	冊	備考	架
内科摘要　桑田衡平譯	十		二
健全學　杉田擴玄端譯	六		二
眼科學　榊俶譯	三	欠本洋装	一
病理各論　三宅秀著	十二	洋装	二
越氏生理各論　大久保常成筆記	十一		二
外科各論　原田俊三譯	十		三
本草綱目	四十四		四
普通衛生學　柴田承桂　丹波敬三譯	一	欠本洋装	一

第拾門　武書類

書目　附著譯者	冊	備考
軍林寶鑑　江伯兎編	一	—
甲冑便覽　綠川興時著	一	—
士道要論　齋藤德藏著　嘉永三年刊	一	—
百科全書海陸軍制　高橋達郎譯	一	—
訓蒙圖彙　貞享元年	一	—
古刀鍛冶銘盡	一	—
新刀銘盡大全	一	—
新刀辯疑　鎌田三郎太夫著　安永八年刊	二	—
新刀銘鑑　神田勝久編	六	—

二五、一、一五、特許一五、東京市京橋區南鍋治町 ✢ 特許罫紙商會

館外貸出禁止之部

第拾門　武書類

書目附著譯者	冊	備考	架
評註図解武經七書俚諺抄 神田勝久著	十五		三
七書直解 明劉寅撰	十三		二
唐太宗李衛公問對抄	四	二部	一
司馬法鈔	四	二部	一
孫子抄	六		一
尉繚子鈔	五		一
六韜鈔	八		二
三略鈔	四		一
孫子評判	二	三部	一

司馬法評判	一	二部	一
尉繚子評判	一	二部	一
三略評判	一		二
武經開宗 倡庵平哉著	十	欠本	二
射法指南 寛文甲辰	五		一
古今軍林一德鈔 山本内藏助源尚勝著 明曆二年刊	十九		三
本朝武林原始 日夏繁高先生著 享保十二年刊	六	欠本	一
施氏七書講義	十五		二
甲陽軍鑑管見鈔 馬場道與著	十七	欠本	四
甲陽軍大全 小嶺弘與著	二十一	欠本	四
鈴録 荻生茂卿撰	二十	寫本	三
諸家之評定 小笠原作雲著	二十一		三

書名			
主圖合結記	十一	寫本	二
楠家相傳七巻書	二	寫本	一
甲陽軍鑑結要品 高坂彈正著 正德元年刊	五		一
甲陽軍鑑 高坂彈正著 萬治二年刊行	十九	欠本	四
信玄全集末書	十六	欠本	二
甲陽軍鑑 高坂彈正著 天正三年	二十	欠本	四
江源武鑑	二十		三
本朝軍器考 新井君美著 元文二年	十四		二
武者草鞋	一	寫本	一
要馬秘極集	七		一
柳營秘鑑	十二	欠本寫本	二
楠知命抄 延寶八年	六		一

甲陽軍鑑管見鈔奥書　馬場道興編	二	四
理捨心尋七巻之書　仝	一	四
理捨心尋七巻之書國法之抜書　仝	一	四
甲州流金瘡　同産前産後療治一流一通書　仝	一	四
弘法大師筆道之書　仝	一	四

第拾壹門　文章　詩歌　文典之類

書目　附著譯者		冊	備考	架
小文軌範	上野道之助編	合本一		一
文章軌範	森立之增註	六		二
小學作文大成	西野古海編	二		一
小學文林	早川光蔵編	三		二
記事志傳文例	安田敬齋著	二		一
初學文要	吉村彰編	二		一
文章訓蒙	澤潟東編	二		一
作文用字明辨	岡三慶著	一		一
書牘日用文	文部省	四		二
書牘日用文	文部省	合本一		一

書名	著者		
唐宋名家史論奇鈔		四	二
新選名家文集	根岸千引編	三	二
初學文編	鈴木重義著	三	二
唐宋三十六名家文鈔	寺倉梅太郎撰	四	二
奇文欣賞	大槻磐溪著	六	二
高等科作文法	青木輔清編	二	一
和漢文章早便利		一	一
作文便覽	松田右兵衛著	二	一
古文典刑	頼久太郎著	三	二
習文必要	高島正清輯	三	二
續文章軌範	宮脇通赫編	三	二
唐宋八家手翰	村田徵典編	二	一

書名	著者		
明治文鈔	高橋易直編	三	二
記事論説文例附録	安田敬齊著	一	一
開化繪入文章	鶴田真容編	一	一
欧行用文	瓜生先生譯	初編 一	一
漢語文章早引大全	渡邉資次郎輯	一	一
續今世名家文鈔	近藤元粋編	八	三
謝選拾遺	頼久太郎編	三	二
近體祝詞文範	細野得一編	二	一
確證文例	深澤菱潭著	一	一
小學作文方法	林多一郎 中島操編	二	一
初學作文法	羽山尚徳著	一	一
女子作文捷徑	大島東陽著	一	一

書名	著者			
風來先生春遊記	陳奮翰著	二		一
三体作文自在	池野元茶著	二		一
作文便覽	堤大助編	一		一
小學用文塡字法	波多野英一編	一		一
雅俗要文	曲亭馬琴翁編	一		一
小學作文軌範	金子尚政 高橋敬十郎編	二		一
狂文章戲範笑林	田繫三撰	二		一
上等小學作文例題	齊藤時泰撰	一		一
小學日本文典	大槻修二著	二	二部	一
北海小文典	永田方正著	一		一
詞乃やちぐさ	梅乃屋翁著	三		二
日本文典	中根淑著	二	二部	一

書名	著者	冊数	備考	部数
字音假名遣	本居宣長撰	一		一
玉あられ	仝	一		一
言葉の玉のを	仝	七		三
百科全書 修辞及華文	菊池大麓譯	一	洋装	一
大日本詞の梯	関治彦著	一		一
語學指南	佐藤誠實著	四		二
語彙	編輯寮	五		二
語彙別記	編輯寮	一		一
日本詞學入門	旗野士郎著	二		一
語彙活語指掌	編輯寮	一		一
文藝類纂	榊原芳野編	八		三
磨光韻鏡	文雄僊谿述	二		一

書名	著者		
漢字三音考	本居宣長撰	一	一
助辞譯通	岡白駒著	三	二
廣益助語辞	三好氏似山子識	二	一
新刻助語辞	盧以緯著	一	一
棟梁集	高田興清著	一	一
三体詩		三	二
三体詩法		六	二
和漢朗詠圖記	四條大納言公任卿選	二	一
百人一首拾穂抄	京極中納言選	四	二
中華若木詩鈔	東山如月和尚註	三	二
勧孝詩	壹岐如意山見住獻山集	三	二
俳諧四季部類		一	一

書名	著者	冊	部	
詩法纂論	清国朱欽山著	二		一
俳諧歳時記栞草	藍亭青藍増補	五		一
日本紀歌之解	荒木田神主久老撰	三		二
連歌新式		一		一
唐詩選	済南李攀龍編撰	一	二部	一
玉鉾百首解	稲掛大平撰	二		一
歴代詞	佐藤春治著	一		一
家内喜多留	川柳評	一		一
明治類題集	呉井園蓬宇平基裕夫撰	一		一
七才詩集		二		一
七才詩集註解		四		二
蒼龍老師近稿	蒼龍窟老師稿	一		一

書名	著者		
杜律集解	閩中邵傳夢𧙣集	三	二
助語類纂	石和鎌次輯	二	一
韓詩外傳	燕人韓嬰著	一	一
新体書翰便蒙	荻原乙彦著	二	一

二五、一、一五、輸許一五八　東京市京橋區南鍋町

館外貸出禁止之部

文章 詩歌 文典之類

第拾壹門

書目	附著譯者	冊	備考	架
纂評唐宋八大家文讀本	井上揆纂	十六		三
白氏文集		十八	欠本	三
韓文		三十九		四
文選傍訓大全		八	欠本	三
唐宋八大家文格纂評	片山勤纂	五		二
柳文		三十六		三
續明治文鈔	高橋易直編輯	三	欠本	二
八大家文講義		合本四	欠本	二
韻鏡袖中秘傳鈔		五	欠本	二

書名・撰者	冊数	備考	
紫文製錦　源稲彦撰	八		三
風俗文選	九	欠本	三
和歌呉竹集	九	欠本	三
俳諧之秘記　芭蕉書	一	冩本	一
李滄溟尺牘國字解　馬玄藏正参著	二	欠本	一
經史論存　関義臣編	十五		三
韻府一隅　無錫顔懋功蘇壮輯	四		二
湖月抄　北村季吟講義	五十五	二部一部一冊欠本	四

第十二門　美術　技藝類

書目	附 著譯者	冊	備考	架
泰西畫式	近藤若山著	初編 一		一
知禮初歩	土方鐵　著	三		一
童蒙習字教の魁	小川持正著	一		一
習字やまと魁	小川持正著 深沢菱潭書	一		一
百科全書 畫學及彫像	内田彌一譯	一	洋裝	一
小學畫學書	文部省編	一	二部	一
百科全書 彫刻及捉影術	錦織精之進訳	一	洋裝	一
小學普通畫學書	宮本三平編　甲之部	合本 一	二部	一
小學普通畫學書	宮本三平編　乙之部	合本 一	二部	一
料理三篇山家集		一		一

料理集		六		二
卜筮元龜鈔		四		二
香道軒の玉水	大枝流芳子編輯	二		一
香道瀧之絲	大枝流芳編	二		一
秘傳花鏡	西湖陳扶揺彙輯	六		二
圖繪寶鑑		五		二
皇國官名誌	菱潭逸史輯𪜈書	一	二部	一
小學習字行草單語篇	土方幸勝輯化瀬得所書	一		一
習字初步	寮撰編輯	一		一
諸廻向寶鑑		五		二
小學女禮式繪入種本	嵯峨野増太郎編輯	一	洋装	一
裝束拾要抄		一		一

書名	著者		
裝束圖式		一	一
小學諸禮式	近藤瓶城編輯	一	一
西畫指南	川上寛纂	二	一
小學幾何畫法	山田昌邦譯	二	一
秘傳首書新撰碁經大全		三	一
啓蒙二十三帖	清原道彦著 澤沢菱潭書	二	一
將棊駒くらべ		二	一
小學習字帖	須田要編 貸斎巻菱潭揮毫	十二	二
小學女禮式	小笠原清務 水野忠雄編	一	洋装 一
河圖洛書示蒙鈔	高井伴寛著	一	一
小笠原流躾方百箇條		一	一
西洋料理通		前編 後編 三	一

書名	著者		
香志	巖倚耿先生編輯	一	一
改正香道秘傳附録奥の志をり		四	一
香道秋の光		三	一
香道千代の秋		四	二
泰西禮法	高橋達郎譯	一	洋装 一
丹青引帖	頼山陽先生書	一	一
行書五柳先生傳	菱翁書	一	一
圖法階梯		一	一
易學小筌		一	一
男官装束要領鈔		一	一
千筋の栞		五	二
明治偉臣金玉音譜	田島象二輯　芳園畫	一	一

當流蘭曲
二
一
特許罫紙八戸方面一手大賣捌所陸奥國八戸三日町

二五、一、一五、特許一五、東京市京橋區南鍛冶町 [illegible]

館外貸出禁止之部

第十二門　美術　技藝類

書目　附著譯者	冊	備考	架
畫典通考　大岡春齋著	九	欠本	二
謡本	七		二
畫史彙傳　彭蘊璨纂録	二十		三
謡本　寶生大夫　寛政刊行	三十九	内三冊欠本　外完	四
謡本　觀世大夫　享保刊行	二十[illegible]	内	三
謡本　觀世大夫　延寶刊行	五	欠本	三

特許罫紙八戸方面一手大賣捌所陸奥國八戸三日町書店青霞堂

第拾参門　字書類書目録ノ類

書目　附著譯者	冊	備考	
西洋人名字引　吉田五十穂譯纂	一	洋装	一
倭玉篇	一		一
新令字解　荻田嘯輯	一		一
皇国地名字類　福岡欽常編輯	一		一
皇朝史略字解　鈴木貞次郎著	一		一
新選四史字引　岡部啓五郎著	一		一
十八史略字引　大角豊次郎編輯	一	二部	一
萬國地誌畧字引	一	二部	一
改正日本地誌畧字引　橋爪貫一著	一		一
日誌字解　岩崎茂實輯	一		一

特許罫紙八戸方面一手大賣捌所陸奥國八戸三日町書店青霞堂

文部省読本 字引略解	西野古海編	一	一
小学読本入門 地理初歩 字引	宮本興晃編輯	一	一
博物階梯字引	青木輔清解	一	一
輿地誌略字引	市岡正一編輯	一	一
國史畧字類大全	河野通之訓奠	二	一
教科書字引	東野新三郎編	一	一
萬國史略字引	竹内壮三郎輯	一	一
十八史略字引	櫻井茂衛輯	一	一
箋註續蒙求校本	黒神直臣編輯	三	一
蒙求除状元補註		三	一
蒙求俚諺補闕鈔		六	一
今典熟字解	伊藤正就輯	一	一

日本略史字引　関口宇之助編輯　一　一

日本外史字引　石川鴻齋編輯　一　一

袖珍萬國地誌略字引　高橋易直輯　一　一

特許罫紙八戸方面一手大賣捌所陸奥國八戸三日町書店[illegible]

[illegible]

日本[illegible]

日本[illegible]

[illegible]

館外貸出禁出之部

第十三門　字書類書目録ノ類

書目　附 著譯者	冊	備考	架
康熙字典　安永九年印刊	四十一		三
康熙字典　文久三年印行	四十		三
字彙　宣城梅膺祚誕生著	十四		二
續字彙補　仁和呉任臣志伊輯	十三		二
正韻字体辨微　仁和呉任臣志伊譔	一		一
古言梯	一		一
古今類書纂要	七		二
說文韻譜　許氏註	十二		四
爾雅註疏　晉郭璞註	五	二部内一冊欠本	一

五車韻瑞　呉興後學凌稚隆以棟父編輯	二十五		二
正字通	八		二
發音辨義　星野多仲輯	二		一
物品識名拾遺　水谷豊文識著	二		一
物品識名　水谷豊文著	二		一
學語篇　大典禪師著	二		一
名判集成	一		一
倭字通例書　橘成員撰	七	欠本	一
本朝詩園	十		一
譯書　故事便覽　手島久吉輯	一		一
塵添壒囊鈔	十六	欠本	二
蒙求詳説	八	欠本	一

書名	冊数	備考	
蒙求詳説	四	欠本	一
倭板書籍考	五		一
書籍目録大全	七		二
教育博物館圖書目録	和漢書一		一
倭漢三才圖會 法橋寺島良安編	七十二	欠本	四
倭名類聚鈔 源順撰	十		四

第十四門　雜書

書目　附著譯者	冊	備考	架
泰西運輸論　樹尾平太譯	一	洋装	一
内外事情　東江學人纂輯	二		二
日本國事寶鑑　渡辺修次郎著	一	洋装	一
自由貿易論　石井敬之進譯述	一	洋装	一
英國國會討論記　杉井忠兵衛譯	一	洋装	一
帝室論　福澤諭吉立案	一	洋装	一
百科全書　人口救窮及保険　永田健介譯	一	洋装	一
百科全書　給水浴澡掘渠篇　河村重固譯	一	洋装	一
百科全書　衣服及服式　高橋是清譯	一	仝	一
体操及戸外遊戯　漢加斯底爾譯	一	洋装	一

百科全書 温室通風點光　木村一歩譯	一	洋装	一
百科全書 水運　永井久一郎譯	一	洋装	一
百科全書 百工倹約訓　高橋達郎譯	一	洋装	一
百科全書 食物製方　小林義直・関藤成緒譯	一	洋装	一
女房の不經濟　中野了随著	一	洋装	一
國會之準備　丸山名政著	一	洋装	一
金のなる木合本　望月誠著	一		一
致富の要訣 治計論 合本　望月誠著	一	洋装	一
黄金世界新説　牧山藤次郎著	一	洋装	一
通俗明治民權の花　川島正三編輯	一	洋装	一
蝦夷今昔物語　バチロル氏著	一		一
百科全書 古物學　柴田承桂譯	一	洋装	一

三五、一、一五、特許一五、　東京市京橋區南鍋町　十　[illegible]

書名	著者	冊	装	部
戸内遊戯方	漢加斯府爾譯	一	洋装	一
國家挽回論	藤田一郎著述	一		一
百科全書 釣魚篇	錦織精之進譯	一	洋装	一
無類保護 三菱會社内幕秘聞録	師岡國編輯	一	洋装	一
百科全書 歳時記	小川駒橘	一	洋装	一
文明開化 地獄極樂一周記	大久保夢遊著	一	洋装	一
政治学術 日本討論軌範	栗田信太郎編纂	一	洋装	一
百科全書 犬及狩猟	関藤成緒譯	一	洋装	一
啓蒙 智恵の環	於菟子譯述	一		一
災難豫防	有信齋主人編	一	洋装	一
日本演説討論方法	木瀧清類編纂	一	洋装	一
随分五辨利	高崎修助編輯	一		一

特許新聞八戸方面一手大賣捌所陸奥國八戸三日町書店[illegible]

書名	著者	部数	装	冊数
新説 八十日間世界一周	川島忠之助譯	二	洋装	二
百ヶ條	松村操編	一	洋装	一
雜圖	澁井孝徳圖	一		一
甲乙練兵	高見澤茂著	一		一
東都 仙洞綺語	愛花情仙著	一		一
新評戲曲十種	並木宗輔著	一		一
匏菴十種	栗本鯤化鵬著	二		二
近世事情	封霎野史著	三		三
陰陽方位便覽	森重勝篹輯	三		三
增補國花集		二		二
五体名頭字七ツいろは	晋松堂先生	一		一
上木自由之論	小幡篤次郎著	一		一

二五、一、一五、特許一五、東京市京橋區南鍋町 ◇ 特許[illegible]

書名	著者	冊数	冊数
異理和理あはせ鏡		二	二
地方往來		一	一
錦耕商賣往來		一	一
明治新撰泉譜	成島柳北編	一	一
訓蒙世界開闢往來	中邑一翠編	一	一
うそならぬ屁し	江元木骨庵述	一	一
自遣往來		一	一
庭訓往來萬歳藏		一	一
七十二候		二	二
君臺官印		一	一
民權夜話	宇喜多小十郎著	二	二
賣淫沼華史	稲垣銀治著	三	三

特許罫紙八戸方面一手大賣捌所陸奥國八戸三日町書店青霞堂

書名	著者		
西洋聞見録	蠔湖村田樞文夫纂述	前編 四	三
大坂繁昌雜記	奥澤信行編輯	初篇 三篇 二	二
泰西世說	中川将行譯	三	三
萬國百物語	瓜生政和編集	四	三
增補華夷通商考	西川求林齋輯	四	三
文明開化	古鷗湖聞書	二	二
俗說贅辨		一	一
雞林事略	瀬脇壽人、林深造輯	二	二
蕃地所屬論	立嘉度譯	二	二
台灣事略	東條保述	三	三
魯國事情	冢原靖譯	二	二
地球往來		一	一

書名	著者	冊数	備考	
江戸砂子		六		三
繪入智恵環	古川正雄著	八		三
雲上示正鑑		二		二
萬世雲上明鑑		二		二
續江戸砂子	菊岡沾凉纂	四	欠本	三
確證願届書例	関口宇之助著	一		一
西洋諺草	岩見鑑造抄譯	一		一
博物志	張華茂先撰	四		三
男女色慾	平塚平譯	一		一
實々事譚合本	松村操著	一		一
白耳義國志	周布公平編述	二	欠本	二
西暦對照表		一		一

特許罫紙八戸方面一手大賣捌所陸奥國八戸三日町書店[illegible]

書名	著者	冊	備考	冊
和讀要領	春台先生撰	二	欠本	二
三餘叢談	柳屋長谷川先生著	初篇 一		一
愛國正義	古松簡二先生著	一	洋装	一
ちゑのいとくち	古川正雄著	一		一
國權奮起 政論軌範	長谷川春篁纂輯	一	洋装	一
百科全書 接物論	秋山恒太郎譯	一	洋装	一
文合條例	赤塚錦三郎編	一	洋装	一
人權新説	加藤弘之著	一		一
民權問答	兒島彰二編輯	初編 二		一
自主新論	高橋達郎纂輯	四		二
百科全書 交際編	高橋達郎譯編	二		一
燕基奇言		五		三

館外貸出禁止之部

第十四門　書目　附著譯者　雜書	冊	備考	架
李朝藤陰比事	五		三
事物紀原　胡文煥徳甫校正	十	欠本	四
春秋命歴序攷　平篤胤撰述	二		二
玉かつま　本居宣長著	十五		四
居家必用　寛文十三年刻	十八	欠本	四
續江戸砂子　菊岡沾凉篡	四	欠本	三
白耳義國志　岡布公平編述	二	欠本	二
和讀要領　春台先生撰	二	欠本	二

第十五門　原書

書目　附著譯者	冊	備考	架
合衆國史　グードリッチ氏	一	四部	二
ユニオン第一リードル　サンドルス氏	一		二
リードル　パーケル氏	二		二
新約全書　獨逸文	一		二
ラルニングツースペル　ヂヤコブス氏	壹	三部	二
大文典　クハケンボス氏	一	二部	三
合衆國史　クワハツケンボス氏	一	二部	二
窮理書　クハロケンボス氏	一	二部	三
佛國史　グードリッチ氏	一	二部	三
經濟書　ウエーランド氏	一		二

特許罫紙八戸方酉一手大賣捌所陸奥國八戸三日町書店青盛堂

書名			
綴書 カッセル氏	一	八部	二
福音書 ヘンレイルミ氏	一		三
小合衆史 クハッケンボス氏	一	二部	二
地理書 ガヨット氏	一	三部	二
英和語學獨案内 井上蘇吉編輯	二		三
萬國史 パーレイ氏	一	四部	三
中地理書 ガヨット氏	一		二
佛文典	一		二
窮理書 ウエルス氏	一		三
窮理書 ハーケン氏	一	四部	三
地理書 コル子ル氏	一	四部	二
佛國史 佛文	一		三

書名			
窮理書 スウイフト氏	一	二部	二
讀本 スタンダルド氏	一		三
プリマル	一	二部	二
小文典 クエッケンボス氏	一	三部	三
スペルリング	一		二
英和對譯	一		三
英和字書	一		三
英学階梯	一	十部	三
地圖 ゴル子ル氏	一		三
大地理書 ガヨツト氏	一		三
地理書 ミツチエル氏	一		三
第一讀本 ウヰルソン氏	一	二拾一部	二

書名			
第二讀本 ウヰルソン氏	一	拾壹部	二
英吉利文典 阿部氏藏版	壹		二
英吉利文典講義 抄譯	二		二

二五、一一五、特許一五、東京市京橋區[illegible]町 [illegible]

館外貸出禁止之部

原書

第十五門

書目 附著譯者	冊	備考	架
音樂書	一		三
小辞書 ウエブストル氏	一		三
中辞書 ウエブストル氏	一	二部	三
大辞書 ウエブストル氏	一		三
英佛字彙	一		二
英華和譯字典正誤 柳沢信大大井鎌吉編輯	一		二
英華和譯字典 津田仙、大井鎌吉、柳沢信大譯	二		二
代数学 大 トドハンター氏	一		二

⑭ 八戸青年会寄贈書籍目録

第三篇

八戸青年會寄贈書籍目錄

八戸圖書館

三戸郡八戸町[illegible]

第一　一般書類

番号	書名	著者名	冊数	備考
一	救急所置		二四	
二	五節供傳記		一	
三	年始例記之口傳		一	
四	世事百談抜書		一	
五	国民之覚悟		一	
六	人の道		二	
七	相續養子の次第		一	
八	日本之道義		一	
九	地主と小作人		一	
一〇	嫁娵行列宮參		一	
一一	世路日記		一	

三戸郡八戸町役場

願届書式全書	一	一二
世事百談抜書	一	一三
移徙之規式	一	一四

第二　神書及宗教

番号	書名	著者名	冊数	備考
一	三十棒		一	
二	佛教金言集		一	
三	耶蘇教略		一	
四	観音経		一	
五	佛法と世法		一	
六	弘法大師御一代記		一	
七	神妙抄		一	
八	訓点旧約全書		三	
九	新約全書		一	
一〇	天道溯原		一	
一一	耶蘇教大意		一	

三戸郡八戸町役場

番号	書名	冊数
一二	閻广大王判決録	二
一三	虛無僧御条目	一
一四	法然上人全集	一
一五	佛教大討論会	一
一六	新約全書黙示録	一
一七	悟道ノ枝折	一
一八	耶蘇基督	一
一九	永平初祖学道用心集	一
二〇	正法眼蔵	四二
二一	佛祖三経指南	一
二二	旧約聖書詩篇	一
二三	舊約全書	三
二四	孝と十善戒	一

宗ノ二

番号	書名	冊数
二五	浄土宗義試驗程問題	三
二六	十一面觀世音陀羅尼經	一
二七	神拝式	一
二八	佛祖三經指南	一
二九	永平衆寮清記	一
三〇	宗教道徳ノ必用	一
三一	仏法必用論	一
三二	沢菴和尚法語	一
三三	佛教安心訣	一
三四	唯一神道名法要集	二
三五	浄土宗一枚起請文	一
三六	天道逆原	一
三七	基督教聖頌集	一

三戸郡八戸町役場

三八	閻魔大王判決録	一
三九	神國神字弁論	一
四〇	ボンノバイブル	一
四一	新約全書	一
四二	禅悳界述頌	一
四三	法施	一
四四	信仰界	七冊
四五	佛陀の光	一
四六	十善戒自受法	一
四七	一切経印房貝葉書院蔵版書目録	一
四八	日本ニ於ケルユニテリアン主義	二
四九	十善寶窟	二
五〇	宗教	一

宗ノ三

番号	書名	冊数
五一	法ノ母	一
五二	福田説	一
五三	釈迦御実伝記	一
五四	法華経新註	二
五五	雲霞集	二
五六	御文安心集要論	一
五七	瑩山和尚清記	三
五八	永平衆寮清規	一
五九	佛向上事巻 行持指巻	一
六〇	胎の守の巻	一
六一	普法識記	一
六二	明約宝書	[illegible] 二
六三		

第三 哲學及倫理、心理、教訓

番号	書名	著者名	冊數	備考
一	心學道義篇		一	
二	和魂之友		一	
三	忠孝本義		二	
四	訓蒙要言故事		一	
五	教の鑑		一	
六	教誨の鑑		一	
七	倫理教科書		三	
八	教の鑑		二	
九	啓蒙禮儀		一	
一〇	記憶法		一	
一一	修身訓		五	

三戸郡八戸町役場

書名	冊数	番号
童蒙訓	一	一二
禅と武士道	一	一三
自由ノ理	卅 五	一四
人相鑑	一	一五
學友	一	一六
青年思叢	一	一七
哲烈禍福譚	一	一八
嘉言録	二	一九
生死論	一	二〇
心理学	一	二一
佛氏生理書	十 七	二二
哲学問答	一	二三
哲学館明治三十年報告	一	二四

哲ノ二

番号	書名	冊数
二五	処世訓	一
二六	智育の友	一
二七	東洋哲学	一
二八	哲学館講義録	一
二九	精神	一
三〇	中学倫理書	三
三一	物理問答三百題	一
三二	修身訓	五
三三	童蒙訓	一
三四		
三五		
三六		
三七		

三戸郡八戸町役場

第四教育

番号	書名	著者名	冊数	備考
一	神洲元気		二	
二	ロングマンスイハレトリダー		一	
三	チヨイスリーダー		一	
四	カーベリーダー		一	
五	明治讀本		一	
六	ナシヨナルリーダー		三	
七	脩身亀鑑		一	
八	ロングマンスリーダー		三	
九	波氏教授論		一	
一〇	体操教範		一	
一一	東京帝国大学農科大学一覧		一	

三戸郡八戸町役場

番号	書名	冊数	備考
一二	青森県師範学校教育施設要項	一	
一三	教科書事件	二	
一四	福岡修養会講演集	一	
一五	県諸礼独習書	一	
一六	竪紙類目録	一	竪紙数十葉アリ
一七	地形学教程 附録	二 三	
一八	ユニオン第四リーダー	一	
一九	小学生徒心得	一	
二〇	入学試験問題	一	
二一	教育之大本	一	
二二	小学修身書	一	
二三	民間教育論	一	
二四	理化科学問答	一	

教ノ二

番号	書名	冊数
二五	教諭のかゝみ	一
二六	ニスースクール ジエヲガアヒー	一
二七	正学指要	一
二八	現行教育法規	一
二九	教之鑑	二
三〇	啓蒙禮義	一
三一	学習院生徒心得	一
三二	公教育要領	一
三三	教會史略	一
三四	讀本纂要	二
三五	那然小学教育論	一
三六	教育史	一
三七	三戸郡学事沿革	二

三戸郡八戸町役場

番号	印	書名	部数
三八	○	公教要理	一
三九	○	精神教育談	一
四〇	○	化学示要	一
四一	○	博物問答	一
四二	○	教育学	一
四三	○	教育家必読	一
四四	○	小学中等科読本	二
四五	○	初等人身究理	二
四六	○	物理階梯	三（六）
四七	○	地理初歩問答	一
四八	○	小学日本地誌略	一
四九		物理階梯	三
五〇	○	普通植物学教科書	一

番号	書名	冊数
五一	第一読本独案内（コホックラ）（ホック氏ナラン）	一
五二	第一読本独案内（ユエンゲリエンブプエヒチル）	一 十
五三	学校用物理書	三
五四	小学化学書	三
五五	初学動物篇	一
五六	第二読本独按内（ナショナル）	一
五七	ウヰルソンリーダー	四
五八	ダビス算術書	一
五九	エングリスリーダー	二
六〇	数学三千題	一
六一	スヰントン文典	一
六二	國文中学読本	八（九）
六三	中学漢文読本	一〇

三戸郡八戸町役場

六四	標註漢文入門	一
六五	中学讀本	一
六六	教授論	一
六七	書札抜要集	一
六八	書札抜要傳記	一
六九	青森縣師範学校一覧	一
七〇	折方目録	一
七一	中学漢文讀本	一
七二	漢文教科書	二
七三	中等国語讀本	三
七四	東北帝国大学農科大学一覧	一
七五	新編漢文教科書	一
七六	漢文教科書	二

三戸郡八戸町役場

番号	書名	冊数
七七	神戸高等商業学校一覧	一
七八	井上氏インガリスリーダイ	三
七九	女中躾之書	一
八〇	日本地理教科書	一
八一	教界周遊前記	一
八二	博物初歩	一
八三	漢文教科書	三
八四	尋常小学読本	二
八五	東北帝国大学理科大学一覧	一
八六	高等小学読本	三
八七	修身要領	一
八八	モラールリーダイ	一
八九	教科書事件	一

番号	書名	印	冊数
九〇	日本農業教育論		一
九一	教育と経済	・	一
九二	ウ井ルソン氏才二リーダー独案内	・	一
九三	仝氏才一リーダー独案内		一
九四	ナショナルリーダー	・	三
九五	ロングマン讀本		一
九六	地形学教程附録		二
九七	教育壇	・	一
九八	札幌農学校	・	一
九九	文部省エングリシュリーダー	・	二
一〇〇	青森県師範学校附属小学校一覧	・	一
一〇一	中学倫理		一
一〇二	佛国中等高等女子教育	・	一

書名	冊数	番号
瑞典教育	一	一〇三
清語讀本	一	一〇四
實業教育論	一	一〇五
英米独女子教育	一	一〇六
英国小学校令	一	一〇七
欧洲各国大学制度綱領	一	一〇八
高等小学教育と職業教育	一	一〇九
脩身叢話	二	一一〇
教育勅語義解	一	一一一
教育新論	一	一一二
如氏教育学	二	一一三
徳育原論	一	一一四
童蒙地学書	一	一一五

三戸郡八戸町役場

番号	書名	冊数
一二六	普通体操法	一
一二七	喇叭譜教授書	一
一二八	中等生理学	一
一二九	化学教授書	一
一三〇	斯氏教育学	一
一三一	ハーパースセイリスリーダー	二
一三二	教育界	一
一三三	博物学教科書	一
一三四	職業教育論	一
一三五	東京工業学校附属職工徒弟学校教育要旨	一
一三六	ロングマンスリーダー	二
一三七	六合館リーダー	一
一三八	人の行くみち	一

書名	冊数	番号
女子教訓書	一	一二九
職業教育論	一	一三〇
新編教授法	一	一三一
小学集義傳	一	一三二
小学集	一	一三三
新体読本字解	一	一三四
新体読本	七	一三五
中学国文教程	一〇	一三六
ロングマンスリーダー	一	一三七
女範	三	一三八
幼年学校訓育部生徒須知摘要	一	一三九
仝　附録	一	一四〇
青森県農工銀行第八期営業年度	一	一四一

三戸郡八戸町役場

書名	冊数	番号
スペルリング	一	一四二
小学修身掛図	一	一四三
日本教育文庫	一	一四四
全国師範学校長会議要項附録	一	一四五
教育會報	一	一四六
奈良女子高等師範学校一覧	一	一四七
京都帝国大学一覧	一	一四八
教育研究	七（一四）	一四九
教育学術界	一	一五〇
青森県師範学校一覧	一	一五一
體育	一	一五二
教育研究	七	一五三
教育博物館規則	一	一五七

書名	冊数	番号
青森県第一第二中学校規則	一	一五五
小学校教科用書目録	一	一五六
理想ノ教會	一	一五七
東京私立学校規則集	一	一五八
教育時論	二 四	一五九
福岡県教育會雑誌	一	一六〇
インブリー會話	一	一六一
三戸郡学事沿革	一	一六二
遠忠美登夢物語	一	一六三
八戸青年會室物誌	一	一六四
東京市養育院実況	一	一六五
禮式	一	一六六
札幌農学校一覧	一	一六七

三戸郡八戸町役場

番号	書名	冊数	備考
一六八	藤氏教育論 全	一	
一六九	小学女禮式	一	
一七〇	教育家自ら教育よ	一	
一七一	文官高等試験者及第者答案集	一	
一七二	ロングマンスリーダー	五	
一七三	大禮服制表并図	一	
一七四	イリメンチオスペラー	一	
一七五	萬歳節 之巻	一	
一七六	婚禮輿入之書	一	
一七七	文官高等試験及第者答案集	一	
一七八	教育研究	七	一四冊ニマトム
一七九			
一八〇			

第五　文学及語学

書名	著者名	冊数	備考
山櫻		一	
俳諧多根以智山		三	
落穂集		二	
有斐録		三	
御景録		二	
紀効新書		六	
訓蒙故事要言		三	
庭訓往来註		一	
重陽氏辺等		一	
演説論集		一	
乞食桃水汲		一	

三戸郡八戸町役場

書名	冊数
朗吟集	一
いろは引端唄大全	一
日本文章論纂	一
日本文章新編	一
政治文学研究手引	一
日本新字発明	一
言文一致尋常国語綴方	二
名家詩文	二
維新名誉詩文	一
金言古状揃武雄鑑	一
史記読本	十 卅
孟子解	五
感詠一貫	二

法律書

文ノ二

書名	冊数
麹亭詩話	一
庭訓往来講釋	二
有斐録	一
撰定中学漢文	三
和字正鑑鈔	一
前春雨集	一
閒典類聚	三
英文讀書初歩	一五
孝經註疏	三
ナッタル スタンダード 字典	一
名家詩文後編	三
學之友	一
朱氏会話編	一

三戸郡八戸町役場

巖手県名誉録	一
朝野年中行事	一
明治唱歌譜	一
所見	一
力論	一
日本人	一
世話字往来	一
歌字尽	一
紅葉百人一首	一
昔昔春秋	一
實物問答	一
日本新字説明	二
日本新字発明	三

書名	冊数
消息往来	一
旅の苞	一
方言改良論	一
通議	三
燕山外史	二
日本千字文	一
大道論	一
林氏雑纂	合一
中興鑑言	一
くぬかちめ記	一
護國美談	一
護國之光	一
スケッチブック	一

三戸部八戸町役場

二十三年未来記	一
國家柱石	一
演說振	一
自恃言行錄	一
妖怪府	一
論語正本	一
弘道館記述義	一
新刻蒙求	一
新論	一
三事忠告	一
稽古要略	一
闢邪集	一
土佐日記	一

河田興景君演説　一
登高自卑　一
雄辯美辞法　一
謡曲新評　一
大家論集　一
西洋夜話　四
小文字校合の原理及評釈　一
徒然草　一
平民の福音　一
漢語問答篇国字解　一
名臣言行録　一
古今和歌集两度聞書　一
作文一千題　一

三戸郡八戸町役場

書名	冊数
續世継	六千
和字正鑑鈔	三
庭訓往来諺解	二
清三家書論	一
國朝蒼章録	一
大学俚諺抄	一
梅花百絶	一
千字文註解	一
論語	一
三山雅集	一
李滄溟尺牘	一
常世草	一
類例集	一

書名	部数
城製衣月下集	一
英會話慣用語集	一
国語假字遣讀本	一
古状揃餘師	一
ドー入ル	一
一休諸国物語	一
貴ト先生[illegible]懐	一
業平草紙	一
類題和歌[illegible][illegible]集	二
鶴鳴集	一
英国文典独案内	一
いろは引英語通辨	一
論語講義	一口

三戸郡八戸町役場

書名	冊数
續群書類従	七
俳諧をだまき	一
ウェブスター小字典	一
古易筌	一
野澤螢	二
採挹集覧	一
續世継	四
古今著聞集	七
國民文庫	一
推味記	四
南部方言集	一
報徳記	一
玉淵叢話	三

書名	部数
落穂集	一
國民之寶	六
内國勉要録	一
ルードフ氏演説	一
清狂詩鈔	一
洋行みやけ	二
学術辞書	一
読書粲	二
楽府題要解	一
駿台雑話	四（五）
頌徳表	一
頓智百話	一
耳武久路	六

三戸郡八戸町役場

書名	冊数
日本庭訓	二
書集傳纂疏	三
大学中庸合本	一
素問	四（百）
天経或問	二
大畧天学名目鈔	一
素問	六（九）
論語龍頭	二
紫山ノ栞	一
初題歌集	一
續古今和歌集	三
素問	四
講習全書	[illegible]

書名	冊数
日本庭訓	一
日本仏道会要覧	一
警眼叢書	一
文くるま 一	六
東都と学生	一
大道社設立主意 臨済宗要義 釈迦如来常念和讃 修身実験録 合本	一
謙翁道話	一
時事談	一
福徳自在	一
大廟詳辞、百寮国訓 国訳忠孝経、女経 国訳全部	一
女子庭訓書	一
女教訓歌	一
治心談	二
続々吉原詩迷 楼候史	一

三戸郡八戸町役場

羈旅漫録	一
交際論	二
演劇通史	一
殉難前草	一
青藍新誌	一
美育論	一
婦人立志編	一
懸賞論文集	一
立志叢談	一
十符の菅薦附言	四
四書白文論語	一
英作文全書	一
作詩作文法	一

書名	冊数
日本前途ノ意見書	一
三都看花記	一
断腸花	一
萬寳鑑冠註大全	二
鼇頭註 続文章軌範	二
作文捷径	一
諺本	一冊
作文須携	一
四書講義	一
清狂詩鈔	二
慶応義塾一覧	一
名家詩文後編	一冊
雑用簡書集	一

三戸郡八戸町役場

書名	冊数
公私拾塵集	一
移従の巻傳記	一
人相鑑	一
大小の辯	一
小笠原流躾方目録	一
全立廻手引集	一
日本新字説明	一
内外論叢	一
蔵志	二
古今方漫筆	二
儒門事記	五
天柱或問	一
痄洄集	一

書名	冊数
錦繍段	一
江湖詩	一
クワッケンボス小文典	三 一
點註正續文章軌範	六
新編詩学精選	廿
孟子	二
正続文章軌範字類大全	二
和漢名家文章軌範	三
古遺記	三
前田正名報告書類	一
前田正名君各團体役員諸氏ニ告ク	一
水交社記事	二
各斷取扱	一

三戸郡八戸町役場

書名	冊数
俳人百家選・	一
文部省第三十二年報	一
馮氏錦嚢秘録	四
老子鬳斎口義・	二
和歌童蒙抄・	一
論語・	一
孟子解	四
易学啓蒙・	一
新選名家文抄・	二
正統文章軌範評林	六
青年思叢・	一
諺本・	三
洋行みやけ	一

書名	冊数
三国防	六
真美人	一
帰一協会々報	一
遠野士族名簿	一
古文折義	八
孟子	一
俳諧古今抄	五
詩韻珠璣	八
春秋	一
謡本	一
詩経	二
孟子	二
書経集解	二〇

三戸郡八戸町役場

書名	冊数
素問次註	三
文選正文	十二
用器習画帖	二
地久節	一
唱歌集	一
謡本	一
大久保武蔵鐙	一
禮記	四
易経	一
老子集説	一
詩経	二
書経	二
春秋	一

書名	冊数
米國大学論	一
欧洲諸國大学便覧	一
仁義禮智信百歌	一
謚本目録	一
直方閣書秘書	一
麟角銘文	一
翔角弗里諾之記念	一
天路歴程	一
番附百種	一
西洋品行論	二
穪好藝報	七
青年雑誌	一
大日記	一

三戸郡八戸町役場

書名	冊数
岸中務少輔殿ニ寄書	一
諸大家筆戦録	一
近松著作一班	一
十二文豪 荻生徂徠	一
新選國民唱歌	四八
本朝若風俗	一
文章軌範質問録	三
鶴塾叢書第一集	一
近世名家文粋	三
はでかりなから	一
東巡録	一
前田前農商務次官ノ演説筆記	一
利学	二

批判抜萃	二
清書画人名譜	三
航海漫録	一
音学巨技折	三
作文稽古本	三
詩語砕金	一
啓蒙仏道館記述義	三
中興美談	一
周礼	八
辨名	一
日本ユニテリアン弘道会第二回年報	一
賤のおだまき	一
巌手県名誉録	一

三戸郡八戸町役場

書名	冊数
蘭亭先生詩集	四
岑参詩集	二
詩経集註	五
論語	四
書経集註	六
誹諧手引草	一
庵の手なべ	一
和漢朗詠集註	五
浪路日記	一
鉄道唱歌	一
全流書類	五
徒然草	二
心要雑話	一

書名	冊数
大道社設立主意	一
華陽皮相	三
忠勇唱歌	二四
花鳥唱歌	一
散歩唱歌	一
世界唱歌	一
航海唱歌	一
教育唱歌集	二
花咲爺	一
廿年姿	一
國史畧字引	一
圖書管理誌	一
マルコルンスライスオブクランプ	一

三戸郡八戸町役場

書名	冊數
ストウリーオブスタンレー譯	一
邦國英文典	一
觀光畫說	一
漢文讀本	二
學燈	一
奉公	二
武德談	二
皇旗画報	一
憂國淚	一
得庵詩文	一
天語管窺	一
徂徠先生學則	二
禮記學記（樂）	一

三原郡八木町役場

書名	冊数
薩摩琵琶歌	二
千里风煙	一
護國の鐵壁	一
まそらきの友	九
國権奮起論	一
朝鮮风俗眞像帖	一
周易復古筮法	一
運動要訣	一
遺言類記	三
西稗雜纂集	二
日本歌学全書	一
文ゝ山詩選	二
國之大經	一

三戸郡八戸町役場

書名		冊数
玉耶女経	・	九 十
點註唐宋八家文読本	・	一六
尊公録		一
苏代袋		一
當世究穿自序	・	一
東京図書館和漢書分類目録		二
東京図書館和漢書假名目録	・	一
韻鏡	・	一
春秋	・	一
書経	・	二
易経	・	二
詩経		二
夜學集理断		一

書名	冊数
アボイーツナード	一
周易象義辨正	二
日本赤十字社概況	一
フタヒストアボツト	一
躬行會叢書	一
健康と遠足	一
奥南舊指録	二
支幹抄	一
興明之書	一
永壽集	一
庵の手なべ	一
御遺訓附録	一
家康公林宗秘抄	一

三戸郡八戸町役場

書名	部数
御遺状百箇條	一
百事便覧	一
女教訓歌	一
日本小文典	一
理事切程	一
書籍総目録	一
英華学術辞書	一
唐壬申書劉勧考篇	一
簿記学独案内	一
盲児談	一
日本文典	一
詠物詩選	二
俳諧本	一

書名	冊数
和漢音釈書言字考	一
韻学秘傳書	一
明訓一班抄	一
弁大学非孔子之遺書弁	一
實語教童子教	一
金言古状揃武勇鑑	一
千字文之字解	一
千字文	一
女大学	一
年中用文章	一
清明適変亀鑑	一
野外勤務	三
布氏小化学書	一

三戸郡八戸町役場

書名	冊数
新辞書	一
董陽スペラー	一
諺本	五
塩山和泥合水集	一
韻鏡袖中秘傳抄	一
土佐日記考證	二
和漢朗詠集	一
韻鏡遮中鈔	二
聖賢格言集	一
職原鈔	二
人物畧画式	一
萬葉集古義	六
二タビ全國実業者ニ撤ス	一

三府郡役所町役場

書名	冊数
栗生伊地問答	一
武行左傳	一
辨疑四巻内	一
稽古要畧	二
世路集	一
好玄記註解	一
タイムス	一
六無齋遺墨	一
学燈	九五
圖書舘雜誌	一
絵葉書世界	二
益友	二
文庫	七

三戸郡八戸町役場

書名	冊数
校友会雑誌	六
フミノトモ	四
玉鉾	一
女子文藝	三
福岡図書館報	一
文の友	三
弘道	一〇冊
弘道合本	一三八
啚書目録	七六
アーグム	一
學燈	一
図書目録	三〇
早稲田大学講義録の探	一

書名	冊数
英語界	四
弘道	三七
公私立圖書館ニ關スル調査	一
大阪府豊郡細川村青年会	一
ことぶき	一
國民評論	一
斯民	~~八~~ 九
活青年	一
秀才文叢	一
弘道	四三
航海唱歌	一
新選國民唱歌	五
児童唱歌	一

三戸郡八戸町役場

書名	数
武唱歌	一
福岡圖書館報	一
英文雜誌	六
英語界	三
圖書月報	十 一〇九
ナスペリメンタルナシド アップライド	一
圖書総目録	一
學燈	三
秀才文叢	一
世界唱歌	一
森江發兌弘略書目	一
久徴館規則	一
圖書彙報	一

文

書名	冊数
文学社蔵版目録	一
図書目録	一
私立吉美図書館第六回報告録	二
経世書院発売目録	一
博文社発行書目抄録	一
読書之栞	一
富国新聞株式会社旨趣書	一
史料通信協会叢書	一
書籍	一
学燈附録	一
大日本続蔵経第一輯目録	一
玉潤堂販売書籍目録	一
漢書販売目録	一

三戸郡八戸町役場

書名	冊数
陰徳太平記目録	一
内外出版協会発兌書目	一
発行書籍目録	一
勅語	一
八戸青年会年中行事	一
八戸青年会若室規程 衣服規程	二
八戸青年会規則	一
ハガキ文学	一
四時豫言鑑	一
小学三書字引	一
帝國学士院一覧	一
日本主義	一
私立青森図書館事務報告	二

書名	冊数	寄贈者
天狗	一	
圖書館	一	
小学雑誌	一	
金港堂書籍会社書籍目録	一	
北星	一	
印刷雑誌	一	
須滴	六	
河北旬報	一	
和洋書籍及文房具時價月報	一	
日本英学新誌	二	
實業青年	二	
炉辺之友	一	
保守新論	二	三戸郡八戸町役場

書名	数
東壁	一
風調新誌	一
北秋会雜誌	一
日本人	二
歌学	一
脩身画談	一
東洋奇術新報	二
國民之友	一
天気豫報	一
松友会誌	一
漢文講義録	一
英語研究法	二
四聲字林	一

書名	冊数
八戸青年会規則 各年度	六
會員委托図書取扱規程	四
参考書類	二
八戸青年会図書籍規程	綴 一
仝徽章規程	ケ 一
八室ゝ菊	一
日本歴史一千題	一
物理一千題	一
博物一千題	一
靖献遺言諸	一
外国人名地名取調一覧	一
高等小学読本字引	一
支那文明論	二

三戸郡八戸町役場

書名		部数
嚶鳴舘遺草		六
梅櫻百人首		二
若葉之巻註解 緑糸之巻註解		一
日本地誌略字引		一
韻学秘傳書		一
廣文堂出版書目録		一
中興鑑言		一
渋田氏エングリシリーダー		二

第六　歴史

書名	著者名	冊数	備考	番号
萬国史直譯		一		
二代忠孝		一		
奥羽史料	初編合本	四		
悲史活史録		一		
近世史		一		
遠野史談		一		
萬國史略		一		
征討史略		七 五		
萬國史略		一〇		
皇朝史略		一		
日本歴史問答		一		

三戸郡八戸町役場

書名	部数
沖縄史略	一
皇道傳統録	一
埃及近世史	一
日魯交渉北海道史稿	三
萬國歴史	一
帝國小史	六
英國史	二
日本略史	四
日耳曼史略	二
パーリー氏萬国史直譯	一
パーレー氏萬国史直譯	一
パーレー氏萬国史	一
鎌倉管領九代記	七

史ノ二

書名	冊数
元明史略	四
史記読本	四
西南征討史略	二
南朝太平記	一
日本歷史畫報	一
史記読本	五
繪本石山軍記	一
繪本楠公記	一
伊藤内閣史	一
明治太平記	一
繪本太平記	五
源平盛衰記	一
義経再興記	一

三戸郡八戸町役場

書名	冊数
ハーレー氏萬國史	一
近古史談詳解	二
讀皇朝史略	三
英文萬國史	一
後太平記評判	三
スウヰニトン萬國史	一
ハーレー氏萬國史	一
平家物語	五
滿清史略	二
印度蔵志略	二
鎌倉管領九代記	七
校刻日本外史	一〇

第七　傳記

書名	著者名	冊數	備考	番号
英國三傑		一		
クライヴ傳直譯		一		
荻生徂徠		一		
高野長英渡辺崋山		一		
吉田松陰		一		
スマイルスキャラクター品性論譯解		一		
近世名匠談		一		
高野長英		一		
日本豪傑譚		一		
新進二十五名家		一		
干城偉績		一		

三戸郡八戸町役場

書名	冊数
路加傳	一
近世文武英雄傳	一
マルテンルーテル傳	一
赤穂義士実談	一
近世名家傳	二
名臣言行録	三
ライフオブフランクリン	一
渡辺崋山君追悼録	一
新島襄言行録	一
高杉晋作入筑始末	一
明治天皇御聖徳	一
和漢忠烈傳	一
フランクリン自叙傳	一

傳ノ二

書名		冊数
竹嶺先生女傳記	、	一
老職危難ニ見書		一
加藤清正一代記	、	一
明治天皇御聖徳	、	一
中江藤樹	、	一
釋迦御堂傳記		一
楠家傳		一
平賀ハ源内	、	一
伊勢平藏貞丈刀画		一
徳川家康	、	一
英雄美談	、	一
福島中佐遠征記要	、	一
筑波水滸傳	、	一

三戸郡八戸町役場

書名	冊数
石田三成	一
王陽明	一
明治忠孝節義傳	三
羽嶽根本先生年譜	一
菅公傳	一
伊藤仁齋	一
徳川武士銘々傳	一
拿破崙第一世傳	二
護良親王甲州文國遺蹟考	一
近松門左衛門	一
三嶋通庸	一
明珎系圖	一
殉國志士事蹟	一

第八　地誌

書名	著者名	冊数	備考	番号
朝鮮内乱地圖		一		
世界全圖		一		
西洋風俗記		一		
ヒマラヤ山探険		一		
仙台名勝案内		一		
新按日本全圖		一		
八戸實地明細圖		一		
サハラ大沙漠		一		
陸路一廻記		一		
萬國地理問答		一		
高山探志		一		

三戸郡八戸町役場

書名	冊数
日本地氣論	一
清国事情探撿録	一
日本新地理	一
駿台雜話	一
奥羽舊事	一
府郷御江戸繪圖	一
大日本國郡輿地全圖	一
はりまめぐりひざくりげ	一
北海道移住手引草	一
洋寧楽行古今圖	一
日西海踪	一
恐山寫眞帖	一
日清韓地圖	一

地ノ二

日光山繪畧	一
外國新地理	一
東京全圖	一
輿地誌略	一
陸路巡記	二
地方青年團体	一
周遊雜記	一
土耳古画観	一
台湾寫真帖	一
外國新地理	一
八戸栞草	一
東亜の實状	一
陸奥の栞	一

三戸郡八戸町役場

十五村之書	・	一
雞林八雲	・	一
新亜細亜	・	一
朝鮮及渤海近傍地図	・	一〇八
鎌倉図	・	一
亜細亜	・	一
日清韓三国明細全図	・	一
日清韓対照明細地図	・	一
大阪之博覧会	・	一
東巡録	・	一
八戸実地明細絵図	・	一
八戸埜草	・	一
青森実地明細絵図	・	一

書名	冊数
青森県弘前市実地明細絵図	一
北海道誌	二
馬来英譯書	一
八戸地方地図	一
萬國地図	一
新撰里程全図	一
日本各駅里程測量全図	一
代表的日本	一
改正東海舟程全図	一
大日本輿地便覧	二
北海道拓殖要覧	一
日本地理	三
外國地理	一

三戸郡八戸町役場

書名	数
朝鮮及渤海沿傍地圖	二
十和田記	一
三五本國考	二
世界地圖	一
青森県三戸郡上北郡海嘯被害地圖	一
八戸禁州	一
樺太案内	一
黄夢地理風俗寫真帖編纂之主旨	一
八戸實地明細絵圖	一
陸奥地誌略	一
秋田大地主名鑑	一
大日本帝國新圖	一
向鶴	一

三戸郡八戸町役場

地ノ三

書名	冊数
十日間世界一周	一
日本鐵道案内記	一
青森縣開港及開市二百八十年祝賀会記	一
南満鉄道案内	一
府縣及北海道境域沿革一覧	一
大日本新版圖及還附地明細圖	一
東京案内	一
萬國地誌附圖	二
地文學初歩	四
あめりか土産	一
日本地誌略字引	一
萬國地理	一

三戸郡八戸町役場

第九 政治及法律

書名	著者名	冊數	備考	番号
青年ノ憲法		一		
御三家方御附人		一		
模範自治町村		一		
帝國議會見聞録		二		
願届書式全書		二		
御目付勤方手控		一		
御徒目付勤方心得抜用		一		
地券取扱手続		二		
行政裁判判決問答		一		
太子冊立國ノ栄		一		
動産賣買法		一		

三戸郡八戸町役場

書名	冊数
契約法	一
親族法	一
傍訓新税法	一
願届手続	一
新民法註釈	二
佛蘭西行政法	一
刑法治罪法	一
公證人規則釈義	一
契約編財産編講義	一
訴訟法講義	一
商法草案	二十
民法草案	一
青森県現衛生現行法規類集	一（青森縣衛生現行法規類集）

政ノ二

書名	冊数	備考
揭示講義	一	[illegible]
民権夜話	二	
裁判軌範講義 國際法	一	[illegible]
保證編賃貸法貸借法講義	一	
交換法期満得免代理法講義	一	
商法講義	一	
商法手形法講義（論）	一	
憲法講義	一	
民法附托編民事会社編和解法講義	一	
國際私法講義	一	
先取特権法講義	一	
法学通論講義	一	
證據法講義	一	

三戸郡八戸町役場

書名	冊数
理財学 行政法講義	一
賣買編講義	一
財産法講義	一
民刑判決録	一
民法草案	欠 一冊
法律大意講義	一
國法汎論	一
國基	一
通俗國權論	一
通俗政事演説	一
刑法治罪法	一
市制町村制	二
水府公献策	一

三戸郡八戸町役場

書名	冊数
公邊聞書	一
公用来返集	一
柳営古談記	一
服忌令	一
御高札之写	一
公邊伺書	一
大岡政要実録	一
議員選挙法	一
和蘭州法	一
和蘭邑法	二
民法草案	一
民政全書	九
財産取得編	三

三戸郡八戸町役場

書名		冊数
政教新論	・	一
債権担保論	・	一五
位署書式用書	・	一
安遜氏契約法	・	二
新法令	・	一
法令全書	・	一
民法草案摘要	・	一
民法草案修正文	・	一
債権担保論	・	一
法規類纂		一
商事会社法講義	・	一
司法警察訓則	・	一
天保武鑑	・	四

三戸郡六戸町役場

書名	冊数
償金五十億法問題	一
生死論、三級裁判、福田氏	一
揭示講義、創作論	一
救護處置	一
戊辰始末	一
安遜氏契約法	一
民事慣例類集	一
政談演説集	一
商法講義	一
日本法律学抜本科講義録	二
民法草案	一
韓国心得毒語改教論	一
蓄書管理法	一

三戸郡八戸町役場

警書ナラン

書名	冊数
代理法	一
専売特許条例註釈	一
傍訓新税法	二
法律綱目一覧表	一
民法草案正條	一
議員必携 推乃	三
帝国議会見聞録	一
帝国民法正解	一
ノテール規則	一
民事訴訟法草案	一
商法	二
國籍法改正商法	一
刑法叢揮	一

三月郡[illegible]月町役場

書名	冊数
日本帝国文部省第三十年報	一
土地所有権移動之状況	一
府県及北海道境域沿革一覧	一
通商彙纂	一
日本帝国文部省第三十一年報	一
法令全書	二
新法令	二
判事検事弁護士試験及第者答案集	二
刑法評論	一
感化救済小鑑	一
地方行政史料小鑑	一
欧米自治救済小鑑	一
時局地方経営資料	七

三戸郡八戸町役場

書名	冊数
貨幣制度調査会報告附録	一
大国名誉政談	一
法学講義節約	一
感化救済事業講演集	二
感化救済事業講演集	一
大日本法律学校講義録	二四
伊国大学ニ関スル諸法令	一
独逸大学ニ関スル諸法令	一
伊国高等教育令	一
手形及小切手法	一
中等学校ニ関スル法令	一
商法	一
新民法註釈	一

三戸郡八戸町役場

書名	冊数
経国策	一
諸家初官録	一
草余新論	二
官民必携	一
政治史	一
各局内規集	一
大日本法律規則全書	一
日本六法全書	一
勧華族就国書 陸羽開拓書	一
郡区吏必携	一
英米代理法	一
土地整理論	一
検察秘携	一

三戸郡八戸町役場

書名	冊数
取引新條例詳解	一
政教日記	二
職民公報	一
登記申請大全	一
國勢一斑	一
區町村会及区町村費取扱手続	一
八戸義塾規則	一
民法草案	四
開國致富要覧	一
育英社規則	一
青森県士官養成生会趣旨及規則	一
國家幸福	一
地價修正地租輕減併行論	一

書名	冊数
日本財政総覧 一	三
萬國憲法	一
職民留解	一
國法草要義	一
衛生行政法釋義	一
明治三十年幣制改革始末概要	一
澳洪国幣制調査 青年会	一
地券取扱手続	一
實祚明鑑	一
政論彙纂	一
代理法論	一
登記事務取扱心得	一
改正官制全書	一

三戸郡八戸町役場

書名	冊数
改正官員録	一
小包郵便法詳解	一
身代限財産取調法	一
専売特許條例註釋	三
救護所置	一
改正戸長法規	一
行政学	一
新民	一
日本帝国文部省第三十三年報	二
郡区吏必携	一
民法草案	一
専売特許條例註釋	一
内外巡視談附録	二

三戸郡八戸町役場

書名	冊数
内務次官巡視取調書附録	一
北海道移住者成蹟調	一
大地積貸付表	一
日本帝国文部省第三十六年報	二
代理法	一
法令全書	一
法律雑誌	一
政論	七生紙
警察新報	一
帝国細民会規則	一
取引所條例詳解	二
普通教会万国会議記事	一
御献上目録	一

三戸郡八戸町役場

嘉永武鑑　二

五戸之栞　一

巡回陸羽大公書類　一

殖民公報　十五（六）

代議政友　一

三戸郡八戸町役場

第十　経済及財政

書名	著者	冊数	備考
殖民地財政論	・	一	
世渡ノ杖	・	二	
経済小學	・	二	
シユルツ式割増附貯蓄制大意	・	一	
増長財命経 臨済宗要義 観世如来常念和讃 修身実験録	・	合本 一	
賓氏経済財学	・	一	
経済学説	・	一	
地方経営小鑑		一	
時局地方経済資料		一	
露國之実際経論	・	一	

三戸郡八戸町役場

書名	冊数
財務参考書	二
財務部 財務制度調査会報告	一
東京経済雑誌	一

第十一　社會

書名　著者名　冊数　備考

會社論　一　寄贈

三戸郡八戸町役場

第十二 数学及統計

書名	著者名	冊数	備考	番号
初等幾何学教科書		一		
三角法教科書		一		
普通算術教科書		一		
三角函数表		一		
幾何学教科書		一		
幾何学問題正解		十		
代数学教科書		二		
初等幾何学教科書		一		
平面三角法教科書		一		
青森県統計書		一		
スミス算術書		原書 一		

三戸郡八戸町役場

洋算叢蒙	二
算術新書	一
初等幾何学教科書	一
新令準拠 算術教授法	一
中等[illegible] 算術教科書	二十
算術書	二
トドハンタ平面 三角真解	一
算術小教科書	二
統計学	一
算術教科書	一
[illegible]統計摘要	一
算術教科書	一
[illegible] 算術書	一

數ノ二

書名		冊数
初等代数学教科書	○	一
工手学校教科書代数学	○	一
数学教程	○	一
代数学教科書	○	一
算術書	○	四
幾何学小教科書	○	一
スミス氏小代数学	○	二
算術書	○	一
平面幾何学教科書	○	一
算術教科書	○	一
幾何学教科書	○	一
幾何問題解法通鑑	○	三
平面三角法教科書	○	一

完

三戸郡八戸町役場

書名		冊数
スミス代数講義録	・	二
方正学文粋		一
台湾総督府第九統計書	一	二
筆算通書入門	・	六
筆算数程講本	・	一
代数学	・	二
算術教科書		四
中学算術教科書	・	五
尋常通俗算術教科書	・	一
中等教育算術問題	・	一
普通教育算術問題集	・	一
数学五千題解式	・	一
算術三千題解式	・	二

三戸郡八戸町役場

數ノ三

書名	冊数
青森県三戸郡統計表	二
台湾総督府統計書	一
算術教科書	一
青森県農工商統計書	四
皇国測量全図	一
代数学問題正解	九
算術三千題解式	一
訂正算術三千題	四
青森県農工商統計表	一
小学筆算例題	一
新撰数学	一
数学要義（幾何ノ部）	一
高等小学算術條目并教授法	一

三戸郡八戸町役場

第十三　理學

番号	考	備	冊數	著者名	書名
			一		物氏物化学

三戸郡八戸町役場

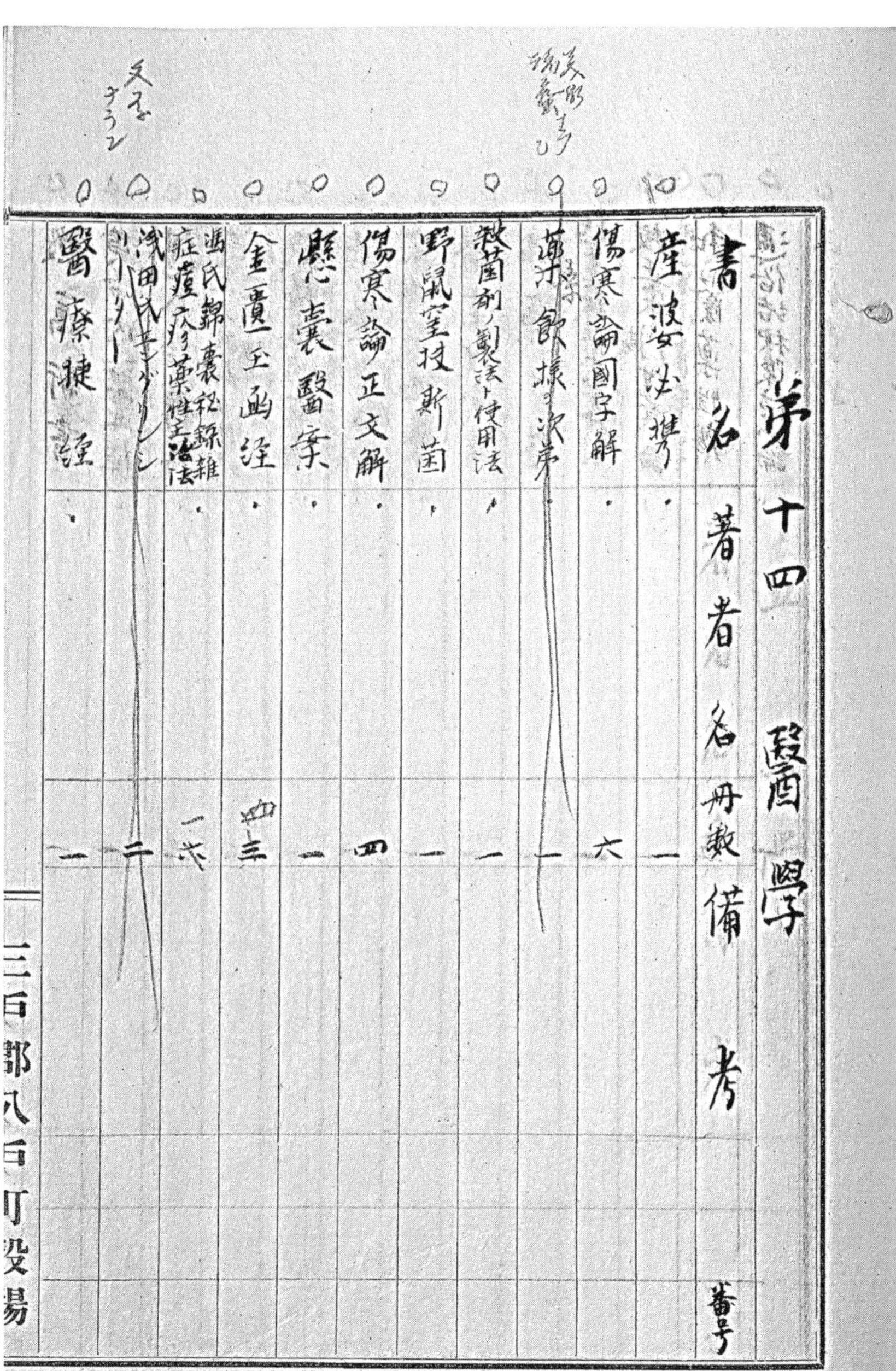

第十四　醫學

書名	著者名	冊數	備考	番号
産婆必携		一		
傷寒論國字解		六		
薬飲様ノ次第		一		
殺菌剤ノ製法ト使用法		一		
野鼠窒扶斯菌		一		
傷寒論正文解		四		
懸嚢醫案		一		
金匱玉函経		四 三		
馮氏錦嚢秘録雑症痘疹薬性主治法		一六		
浅田氏チフスリン		二		
醫療捷徑		一		

三戸郡八戸町役場

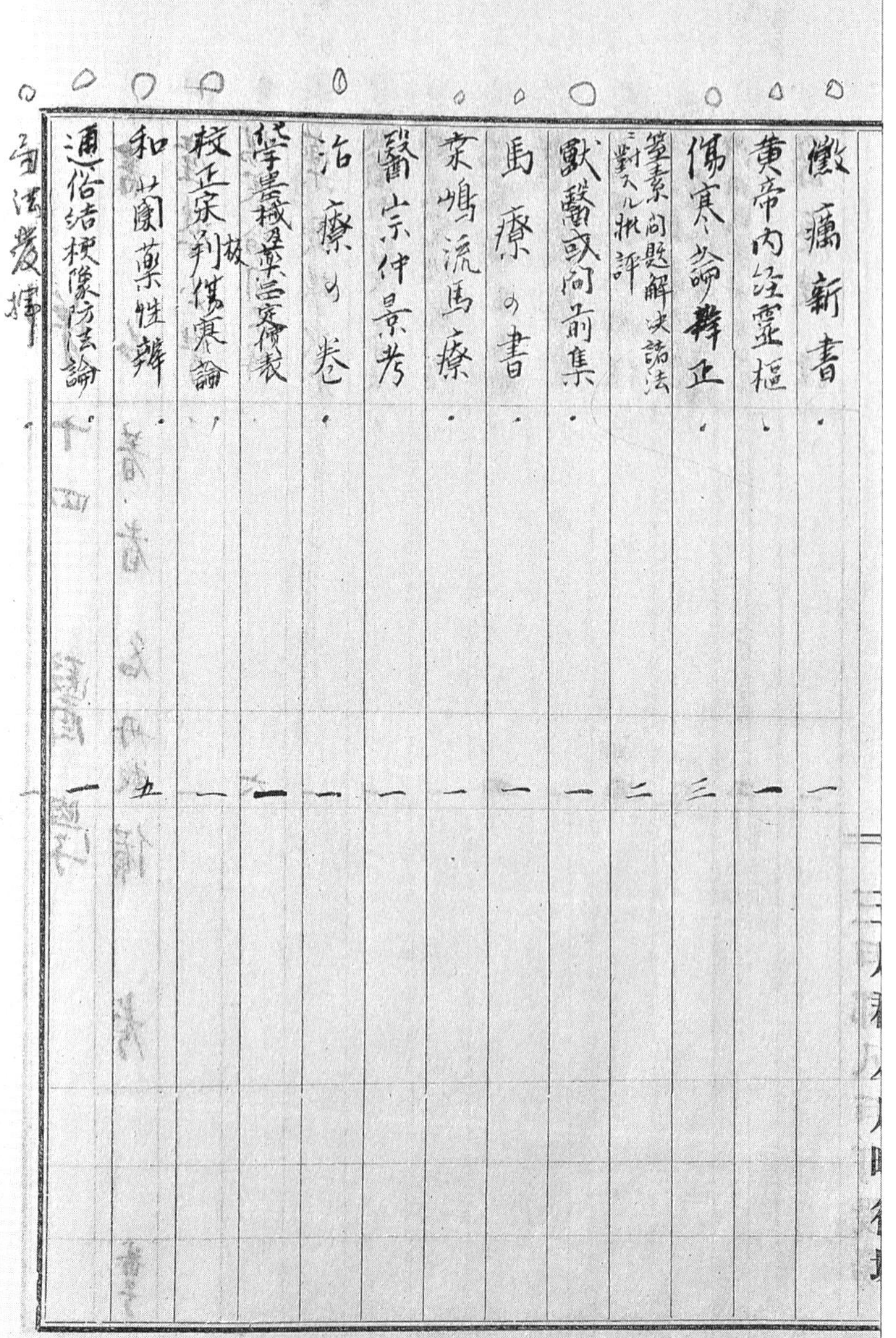

書名	冊数
黴癘新書	一
黄帝内経霊樞	一
傷寒論辨正	三
箋素問題解決諸法ニ對スル批評	二
獣醫或問前集	一
馬療の書	一
宍嶋流馬療	一
醫宗仲景考	一
治療の巻	一
醫学器械及藥品定價表	一
校正宋刋傷寒論（校）	一
和蘭藥性辨	五
通俗結核豫防法論	一
古法發揮	一

第十五 工学

書名	著者名	冊数	備考	番号
東京高等工業学校一覧		一		
鉄道利用		一		
鐵道賃金案		一		
名古屋高等工業学校一覧		三		
工事測量必携		一		
通俗工藝雑誌		一		
和洋裁縫大全内容見本		一		
通俗織法集		一		
大坂高等工業学校一覧		一		
名古屋高等工業学校一覧		一		
テスラ電流装置		一		

三戸郡八戸町役場

鉄道唱歌	三
裁縫大全明細書	一
東洋鉄道線路畧図	一
橡友	一
鐵道	一

第十六 美術及諸藝

書名	著者名	冊数	備考
棊立指南大成	、	六	
西洋将棊指南		一	
日本美術貟規則		一	
杞柳栽培法		一	
園藝考		一	
石印集義		二	一ハ石ト集誼
桑樹萎縮病調査報告		二	
桃ノ栽培		一	
種樹園法		一	
用器習画帖		一	
由氏植物学		三	

三戸郡八戸町役場

書名	冊数
植学略解	一
草木六部耕種法	一六
葡萄栽培書法	一
四季ノ草	二
植物秘伝抄	一
立花正道集	一
草木栽植心得	一
大隈伯演説要訣	一
戦時法令全書	十
美術書発行目録	一
陸軍服役条例	十
栽培精理	二
桑樹萎縮病調査報告	一
茶の飲様の心得	一

第十七　兵事

書名	著者名	冊数	備考
改正日本軍人文範		一	
日清軍記		一	
独佛戰争軍貴始末書		一	
戰時服役條例（法令全書）		一	
陸軍戰時服役條例		一	
詞令號		一	英国歩兵練法号令詞、抜小本
號令詞		一	
徴兵令註解		二	
歩操新式		一	
英國歩兵練法		二	
武器圖説		一〇	

三戸郡八戸町役場

武門要鑑鈔	二
戦術学教程	三
仝 附録	三
戦時法令全書	一
國民兵召集令解釋	一
英國歩兵練兵法	一
武備前後集	一
本朝武家評林	五
武具閑書	一
武田流幕秘説傳	一
三品再註	一
甲陽軍鑑十八品末書	四三
甲陽軍鑑末書	四

兵ノ二

書名	冊数
軍禮	一
甲州流武者分高名穿鑿武器製法傳	一
高名穿鑿帳	一
甲陽軍鑑末書	一
信玄流西殿御備定	一
首實驗卷	一
軍法、巻真傳	一
第二師團從軍名鑑	一
軍事全豹	一
陸軍禮式	一
海軍禮砲敬礼條例	一
敵前視厳鈎術組太刀之方書	一
野外演習実地注意	一

三戸郡八戸町役場

三戸郡八戸町役場

書名	冊数
村田銃保存法	一
軍事学楷梯	一
徒歩傳令勤務	一
戦闘間歩兵之心得	一
行軍戦闘術	二
野外要務令草案	一
陸地戦例新選	一
弓矢發起集	一
弓書	二
伊勢流弓道秘決	五
地方尚武諸会規則集	一
甲陽軍鑑軍法之巻抄	四
武武経渭[illegible]	一

書名	冊数
歩兵操典	一
抜要閲書	一
單騎要畧	一
遠西武器圖畧	一
龍虎口軍	一
戰術学教程	五 ニ
仝　附録	三
仝巻之三附随録	一
軍制学教程	三
水練之大意	一
戰場逸話	一
海上の日本人	一
單騎要畧	五

三戸郡八戸町役場

書名	冊数
高名穿鑿録	一
一騎士心得箇條釈	一
一騎士心得箇條目録	一
軍歌百首	一
刀劔問答	一
軍陣勧請大事	一
鬮的禮法	一
歩射介添作法	一
圓物禮法	一
大永聞書	一
鬮的聞書	一
百手之事	一
多羅枝	一

三戸郡八戸町役場

鳴弦 巳上 皆一 両部 仌

書名	冊数
本間流歩立聞書	一
弓矢蒻弓懸之図	一
的大ナ矢代様之書	一
弓受取渡之次第	一
矢箙数沓秤物弓之記	一
弓矢故實	一
弓道具繪図	一
箙之書	一
射手一統	一
矢拵聞書	一
鳴弦之巻	一
矢之書羽之書	一
射儀私記	一

三戸郡八戸町役場

雜要落（拾）穗集	一
小（笠）倉原鹿狩	一
射はたゑひらの書	一
神明奉射的記	一
将灌頂社祢之次第	一
信玄公流傳授秘書（決）書	一
祐敬記	一
奉射之書	一
御的之次第	一
鉢巻烏帽子其他之記（次第）	一
四季的闇的小串的	一
軍陣聞書	一
豊薩軍記	七

三片郡六片町役場

書名	冊数
兵鑑	五一五
武林寶録	一
實見巻再註	一
甲陽軍鑑結要本	四
軍法巻	一
誕生引目巻	一
移從口傳之書	一
戰時國民の心得	一
射的術	一
佐々木流鐵炮書	一
太鼓之傳記	一
産所胞衣納之傳記	一
射法古實輯	一

三戸郡八戸町役場

兵術秘要録	一
草鹿之巻傳記	一
靫之傳記	一
菟笠口傳巻	一
當流揚枝書	一
蟇目薀奥之巻、騎射射搦巻射初之巻	一
鈴舩之書	一
弓緑起之巻	一
奉射	一
一張弓之傳記	一
神前的之傳記	一
馬具名所傳記	一
弓具之傳記	一

三戸郡八戸町役場

書名	冊数
再拝括細傳秘決	一
鎧毛色之傳記	一
軍國之財政経濟	一
騎操軌範初編	三
甲陽軍鑑末書	三 四
武將感状記	五 六
甲陽流城畜	二
英國歩兵教練法	一
佛國戦費賠償金使用法	一
弓緑起傳記	一
歩操新式	一
軍人戦時往復文	一
ゴルドン将軍	一

三戸郡八戸町役場

書名	冊数
海軍審美論	一
海軍兵器説明	一
海軍適勢	一
英国歩兵練兵法	一
歩操新式	一
古武士	一
野戦論	一
英国海軍協会年報	二
歩操新式	一
陸軍衛生学教程	二
築城学教程	一半
馬法禮	一
小笠原流軍禮技要抄	一

三月郡八月町役場

書名	冊数
白勝流軍馬傳抄	一
合戰評論	五
武士道	二
本朝武家評林	合綴 一
軍制学教程	三
戰術学教程附録	一
海軍旗章條例	一
白虎隊	一
軍艦不二自英國至日本航海報告	一
打毬之記	一
武士道家訓集	一
英國歩兵練法	一
戰場逸話	一

三戸郡八戸町役場

書名	備考	冊数
敵國降伏		一
摩耶合戦記		一
武教全書		一 五
山本勲功記	前後篇	一〇
大追物八廻		一
秘傳書		一
流鏑馬ノ事類聚 流鏑次第		一
弓馬奥秀記		一
調度名所之記		一
射手方聞書		一
笠懸心式正之根本		一
揉烏帽子考		一
流鏑寫記（馬）		一

三戸郡八戸町役場

騎馬之次第　一
神前祈祷神事射禮　一
三的射法　四六三射法　八的之事　一
射御持長記　一
小笠懸由来　一
笠懸躾拝　装束等記　一
流鏑之事、流鏑馬記　一
當流聞書　一
射手方聞書　一
乾弓聞書　一
道方聞書射禮聞書　一
笠懸之射手躾拝故実之條　一
小笠原備前守殿政清公光賀、口傳中條々　一

三戸郡八戸町役場

書名	冊数
馬術口傳	三
百問答	一
流鏑馬々場之圖 神前祈祷 神前射禮	一
類聚流鏑馬次第流鏑馬次第	一
弓馬秘説	一
貞順弓馬聞書	一
騎射釋書	一
流鏑馬釈書	一
狩之巻釋書	一
矢開之書	一
八的釋書	一
射禮聞書	一
馬上之事少々聞書 歩射之人添之事	一

書名	冊数
犬追物初心抄	一
草鹿釋書	二
笠懸小笠懸畄法之書	二
小笠懸心釋書	一
笠懸矢禮集 矢沙汰釈書	一
海軍豫備校規則	一
コサアク兵	一
馬之本地	一
馬法之部	一
なけくらし手綱	一
馬具寸法記	一
軍馬秘用録	一
馬鞍	一

三戸郡八戸町役場

書名	冊数	備考
講尺書	一	
刀鍛冶惣系圖	一	
辨疑四巻之内	一	
雑要微塵双	一	
弓道美人初巻	一	
吉田流巻蒙前	一	
吉田印西流極傳書	三	
弓道釋書	一	紙數十八　小笠、闘的、他家的トアル
表五十三ヶ條目録	一	
矢之書羽之書法書箆之書 弓具之書闘書	一	
的之書射之書 鞢書	一	
京的之矢之穀書	二	
三十七ヶ條 三十五ヶ條 目録釋書	一	

書名	冊数
前々書秘書（巻葉前之書的前之帯堂）	一
美人草	三
當用財略的切集	二
遠笠懸之事	一
遠竹笠懸射手出立之事宗長記	一
法量物圓物条々図物草鹿記	一
小的巻騎射騎奉射校物	一
小笠懸之次第 遠笠懸之事 笠懸躰拝出立事	一
笠懸矢禮并矢之沙汰	二
笠懸禮法	一
弓馬之日記當流聞書	一
上覧抄	一
流鏑馬射法	一

三戸郡八戸町役場

三戸郡八戸町役場	
馬上之三物	一
馬藝	一
歩兵操典	一
天和流馬書	一
細川玄旨弓馬聞書	一
歩兵第五聯隊遭難始末	一
吉田流弓道書類	三八
甲冑傳	一
通俗軍役奇談	一
東台戦記	二
折紙傳記、軍中書状之事、時軍雜類書古案、起請文之次第	一
実見式番組并繰出帳	二

出征與行手扣帳　一
陸軍士官学校教育課程　一
仝　附録　一
清國軍備総覧　一
海軍士官学校仝兵学校仝機関学校規則　一
犬追物之記　一
陸軍大学、士官、幼年学校教導團規則　一
軍の新　一
劍術教範　一
武道初門要録　一
八戸青年会講武員須知　一
必當家馬法禮　一
馬方故實　一

三戸郡八戸町役場

書名	冊数
六韜合冊	一
馬術秘傳	一
射馬問答註解	一
兵法雄鑑抄	三
公	四（五）
甲冑傳	二
手鑑	二
直傳	二
船戦要集	二
犬追物矢沙汰之歌注解追加	一
案馬方之書	一
神當流陰之書	一
諸馭品彙	一

三戸郡八戸町役場

書名	冊数
舩手要記	一
舩戦覚書	一
雲露書（大坪流）	二
馭馬故實	一
當流馬法禮條々	一
當田流手綱秘傳	一
勤御徳馬集	一
手綱秘書	一土
對馬問答註解	一
徒鞍問答	一
御閘書	一
馬狩立之書	一
天筆大將軍	一

三戸郡八戸町役場

歩兵操典	一	
仝	一	
剣術教範	一	
陸軍貸之願者必携	一	
犬追物方聞書抄	一	
犬追物蟇袋	一	
犬追物聞書	一	
犬追物雑々	一	
印西流之書	三	
矢根弓村削秘傳 吉田弓羽形記	一	
御弓場始次第	一	
雑類弓法古実聞書（附）	一	
日置流法要録抄	一	

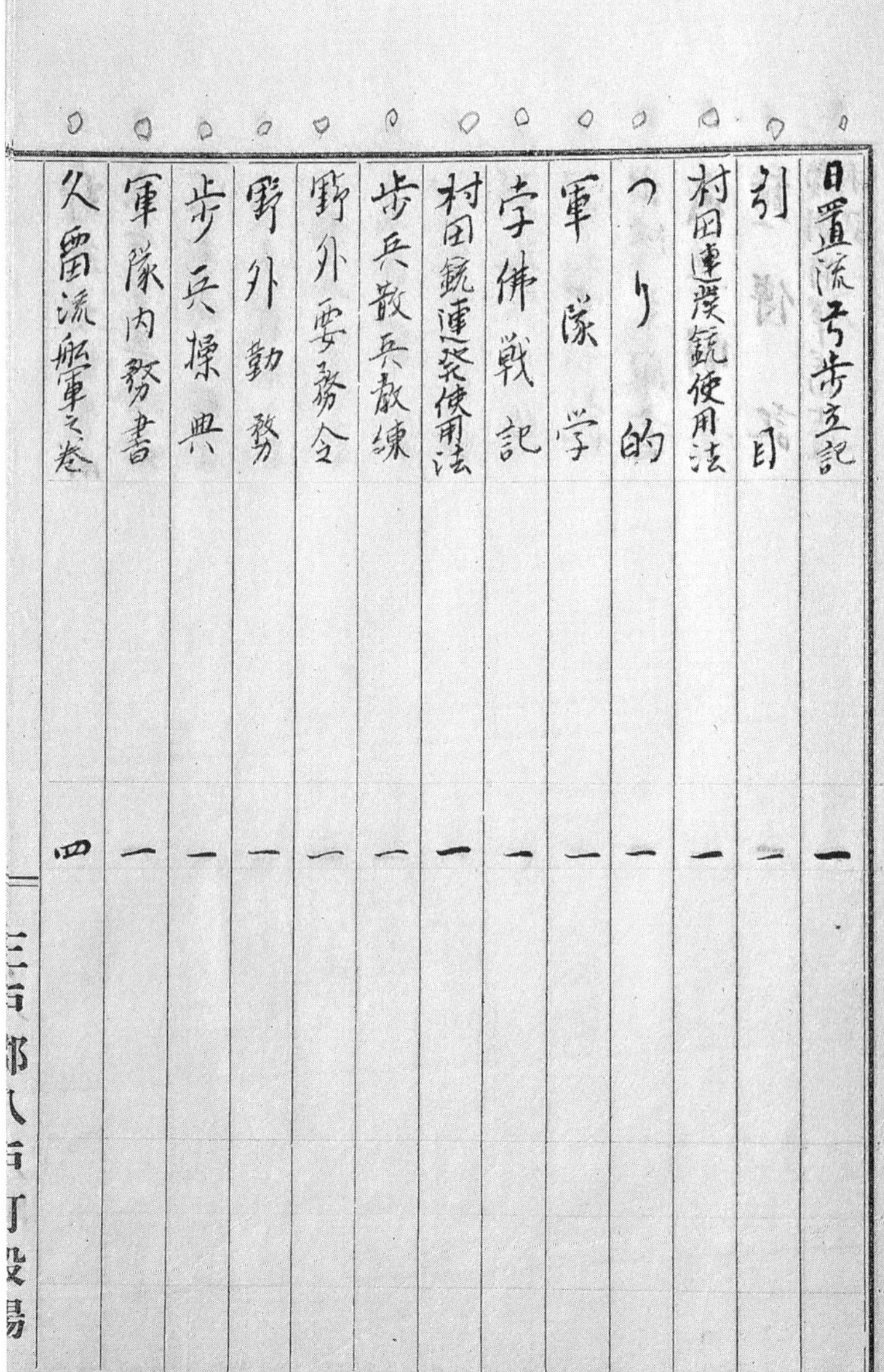

書名	冊数
日置流弓歩立記	一
引目	一
村田連発銃使用法	一
つり的	一
軍隊学	一
孛佛戦記	一
村田銃連発使用法	一
歩兵散兵教練	一
野外要務令	一
野外勤務	一
歩兵操典	一
軍隊内務書	一
久留流舩軍之巻	四

三戸郡八戸町役場

野外要務應用　一
武器番具原始　一
軍書真為聞書　一
具足着用之巻　一
甲冑山岡考記　一
義貞軍記　一
御旗竜小印圖　一
旗進口傳　一
軍中記　一
出陣之聞書　一
武具聞書　一
鐙傳記　一
頼朝将軍富士巻狩記　一

三戸郡八戸町役場

書名	冊数
築城記	一
鎧之巻	一
池田信輝甲冑圖	一
頸實驗之巻	一
軍禮傳書	一
軍禮授要抄	一
甲陽軍鑑末書	二
軍法之巻	二
豹龍虎三品聞書	一
虎略品	一
龍韜品	一
末書一ノ巻聞書	一
武林識解探隠録	一

三戸郡八戸町役場

書名	数
信玄公流秘傳書	一
陣刀服指割製作之傳三國武者装束并文武之傳	一
甲陽軍鑑全集八巻之内抜書	一
高天神内藤武功之秘訣	一
武翼集	一
武備輸結要畧末書極註聞書	一
實験之巻註	一
陸軍士官学校一覧	一
信玄公流秘集	一
甲陽軍鑑末書	三
傳秘集	一
草騎要畧	一
上杉家兵談 越後國内輪考前	一

三戸郡八戸町役場

書名	冊数	備考
徴兵事務取扱手續	一	
海軍兵器説明	二 一	
征清画談	一	
武道心鑑集	一	
陸軍幼年学校生徒教育概況	一	
古甲冑注文	一	
小笠原流弓道書類	四 一	
軍事全豹	一	
武用辨畧	八	一冊不足
剣術教範	一	
陸海軍喇叭譜	一	
熊本籠城談	一	
陸軍召募規則	一	

三戸郡八戸町役場

書名	冊数
犬追物次第	一
牛追物考書	一
馬法禮	三
櫻狩之巻	一
神當流軸物七巻	一
笠懸釋書	一
牛追物之書	一
人見流乗方	一
弓馬之儀	一
弓矢條々	一
伊勢守殿弓之聞書	一
狩之書附録	一
百問答	一

三戸郡八戸町役場

書名	冊数
鞍鐙之書	一
大延無矢巻	一
犬追物装束之次第 射手具足之事	一
射禮之巻	一
當流弓家當姓名記	一
犬追物附録釈書	一
犬追物秘傳	三
犬追物秘鑑	三
犬追物釋書	一
犬追物磨鏡	一
小笠原政長馬書	一
當流一統之次第	一
常馭事韜法	一

三戸郡八戸町役場

書名	数
馬道聞書雑書自勝流軍馬之書	一
大和流馬書	二
八条流栗方之巻薬方ノ巻	一
欧州大戦争ニ於ケル財政ニ関スル調査	一
武徳會誌	一
要門袍裳之巻	一
陸海喇叭譜	一
武道心鑑集	二
日清交戦録	三
小笠原流訓閲集	八
吉田流弓巻物	二
雑書類巻物	一
射学正宗	三

三戸郡六戸町役場

五八ノ三

書名	冊数
軍法之巻	一
信玄流傳授秘書	一
遠笠懸射手出立之事宗長記	一
法量物圓物條々円物草鹿記	一
歩兵第五聯隊遭難始末	一
勤御德馬集	一
武道初心集	一
陸海軍喇叭譜	三
野外勤務実用	一
陸軍幼年学校生徒教育概況	一
假名安驥集	一
英國海軍協会年報附録	一
戦報	二

三戸郡八戸町役場

青森県士官養成会趣旨及規則　一

寶刀圖説　一

三戸郡八戸町役場

第十八　産業及家政

書名	著者名	冊数	備考	番号
日本商業事情視察報告書		一		
共産商業組合法		一		
英和商売用会話		一		
智利硝石肥料		一		
動物と通解		一		
八戸菊銘鑑		一		
植物と混実などの関係		一		
種まき鑑		一		
山業誌		一		
蔬菜栽製簡易法		一		
青森県勧業要報		四		

三戸郡八戸町役場

青森縣

書名	部数
産語	一
水産練習所講習科傳習	一
水産講習所一覧	一
農工業視察員設置之建議	一
苞虫図解	一
螟虫図解	一
農事試験成蹟	一
馬匹調査會議事録	三
耕作必用	二
植物学新書	一
大日本農功傳	二
農家年中行事	一

産ノ二

書名	冊数
表儀略	一
稲ノ螟虫ニ就テ	一
桑蚕要書	一
蠶桑要略	一
無水田開闢法	一
莨作方之書	一
青森縣勸業要報	一
八工産業統計表	一
苹果要覧	一
内國産穀菜果品一覧圖解	二
柳系穀菜果要覧	一
パスツール氏蠶病論	一
徴業録	一

三戸郡八戸町役場

書名	冊数
日本樹木害虫篇・	一
智利硝石こやしのやりかた其他・	一
陰陽馬録	一
農事図解・	一
小岩井農場案内・	一
青森県各郡物産品評会報告	一
グリイン	一
培養秘録・	四
テスタメント	一
青森縣勧業要報	一
蠶事報告・	一
博覧会及各実業大会ニ関スル談話ノ要領	一
六縣聯合物産共進会報告	一

書名	冊数
農事試験成蹟	四
第十六次福島勧業諮問会日誌	一
第五回内国勧業博覧会出品目録	三
菜根百事談	五
日本帝國大学農科大学一覧	一
郡市町村農会事例	一
産業組合要覧	一
地主と小作人	一
各國農産物輸入関税率表	一
独逸の農業関税	一
青森縣農事要報	一
青森県農産改良増殖実行委員会録事	一
青森縣農会報	一

三戸郡八戸町役場

書名		冊数
農事試験場報告		三
農事経験録	・	一
農事試験場報告		一
殖産部報文		一
農業全書	ヘ	二
改定農業全書		一〇
甲州葡萄栽培法	・	一
葡萄栽培法適要	・	一
泰西農学	・	六
動物学	・	二
農業新書	・	五
農事試験場報告		四
農業実験談		一

三戸郡八戸町役場

書名	冊数
青森縣農会報	四
農事試験成績報告	一
大農國	一
第三回奥羽六県聯合物産共進会報告	一
養蠶抜方	二
大日本農功傳	一
麻作改良	五
水族館案内	一
日本重要水産動物図解説	一
農事稽習	一
農業世界	一
蠶事報告	一
清國通商綜覧	一

三戸郡八戸町役場

書名	冊数
続産馬畧譜	一
産馬組合法要義	一
普通鑛物学	一
水産講習所伝習生規則	一
清國通商綜覧	二
青森県第外九種共進会報告書	一
農稼業事	五
蔬菜収利	一
鹿児島県大島郡糖業改良意見書	一
生食蚕論	一
蠶桑生理問答	一
適産調将来心得	二
稲種得失辨	一

三戸郡八戸町役場

書名	冊数
烟草税則付御指令集	一
草木六部耕種法	一
帝国物産誌通覧	一
輸出重要品要覧	一
農家敵草	一
大倉書店発売総目録	一
青森県農会報告	一
瀬川書房出版目録	一
青森県水産試験場報告	一
青森県勧業要報	二
蚕事報告	一
青森県主催第五回陸羽[illegible]実業大会報告書	一
東北帝国大学農科大学一覧	二

三戸郡八戸町役場

書名	冊数
東北帝國大学農科大学一覧	一
農事雑誌	一
發兌書目	一
農事調査	一
第二回奥羽六県馬匹共進会報告書	一
第五回内國勧業博覧会出品目録	一
第六回奥羽六県聯合共進会事務報告	二
青森縣農事試験場成蹟	一
青森縣農会報	一
農商務大臣訓示	一
青森縣水産試験場報告	一
第五回内國勧業博覧会出品目録	一
八二	七

書名	冊数
農学入門	一
青森縣農会報	一六
農業世界	一
青森県水産事項特別調査書	一
青森縣産業統計表	二
青森県農工商統計表	二
宮城岩手青森三県聯合共外七種共進会報告	一
農家副業調査	一
神戸高等商業学校一覧	一
蔬菜之栽培	一
青森縣農事調査報告	一六
青森縣勧業要報	一六
農事試験場成績報告	三

三戸郡八戸町役場

書名	数
府県聯合共進会審査復命書	一
青森県農会報	一
農事試験成績要報	一
其中堂発売目録	一
青森県農会報	五
農事雑説	二
農事試験所成績	二
産馬図譜	一
日本人造肥料株式会社目録論見書	一
農商務省蚕業講習所伝習規則	一
壱升量繭顆数早見表	三
東北の蠶業	一
本邦農業概覧	一

秋田阿部郡組合貯金一覧表	一
種苗定價表	一
農事要錄	一
農家必携用	一
農業雜誌	一
花錦見立鏡	一
産業	九
英國商業雜誌	一
農業雜誌	二
中央農事報	一
トウマス燐酸肥料	一
東北之産業	七
恒産雜誌	二

三戸郡八戸町役場

青森県蚕業擴張論　一
日本之商人　一
實業　一
青森県害虫益虫圖解々説　一
農業自得　一
西洋料理通　一
水産講習所講習科傳習要項稿本　一
水交社記事　一
害蟲新論　一
澳洪國幣制調査委員会速記録　一
東京興農園農家便覧 春ノ巻　一

三戸郡三戸町役場

第十九　少年書類

書名	著者名	冊数	備考	番号
かちく山		一		
少年世界紀元節		一		
日本少年		一		
少年世界		一		
日本少年		二		
少年機關		一		
東北之少年		一		
少年園		一		
少年世界		一		
幼年会規則		一		

三戸郡八戸町役場

三戸郡八戸町役場

三戸郡八戸町役場

○ この間文字が記されていない1丁を省略した。

⑮ 八戸青年会員名簿

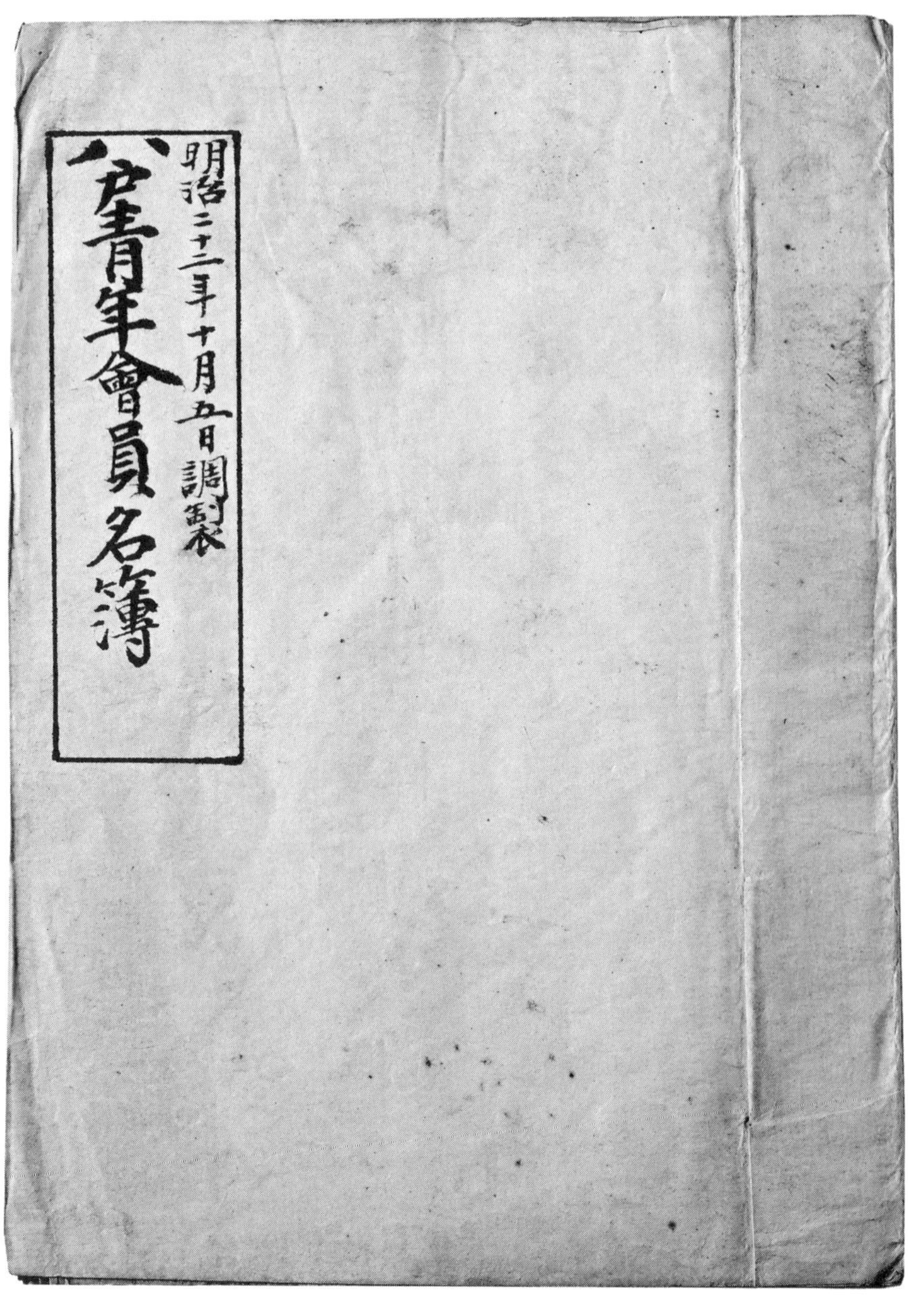
八戸青年會員名簿
明治二十二年十月五日調製

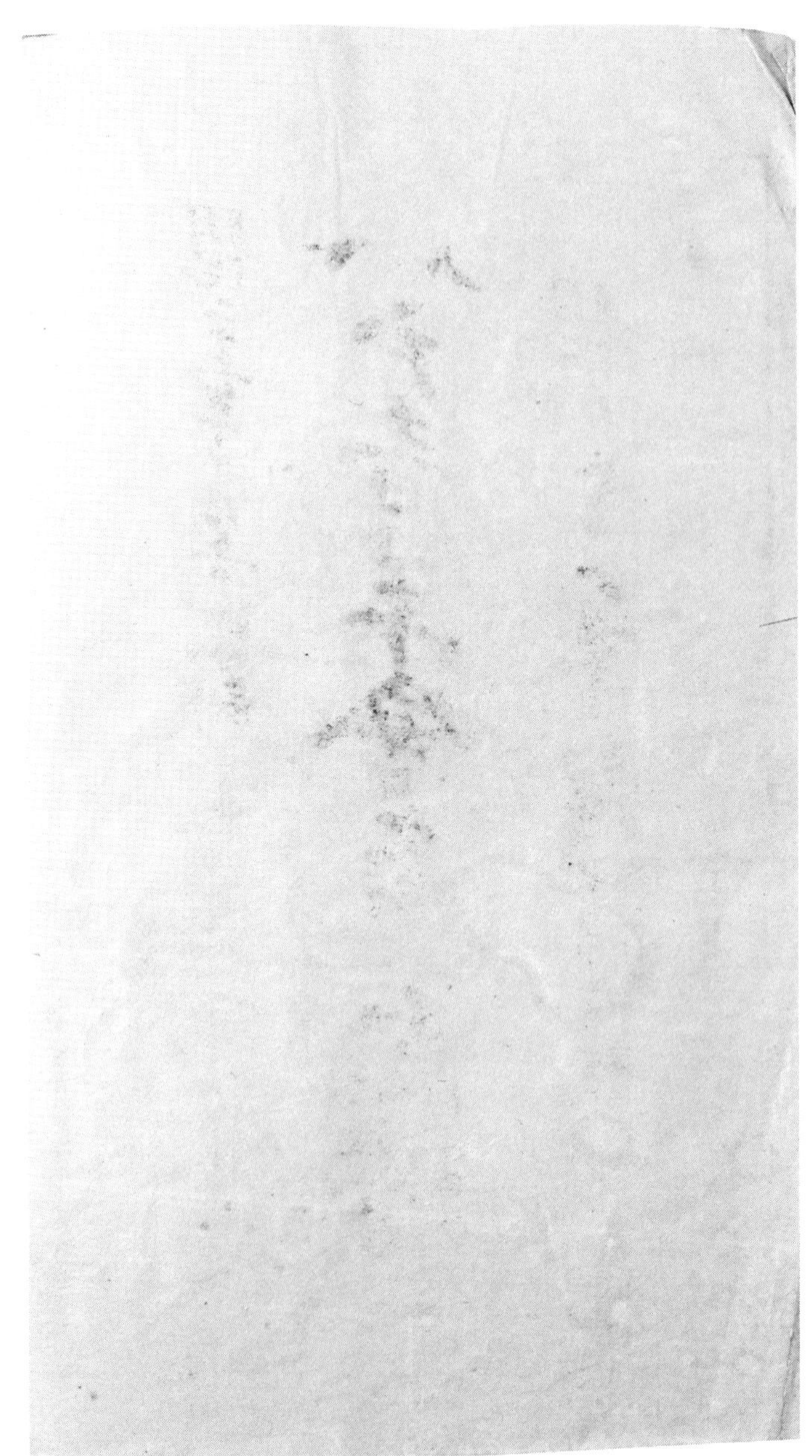

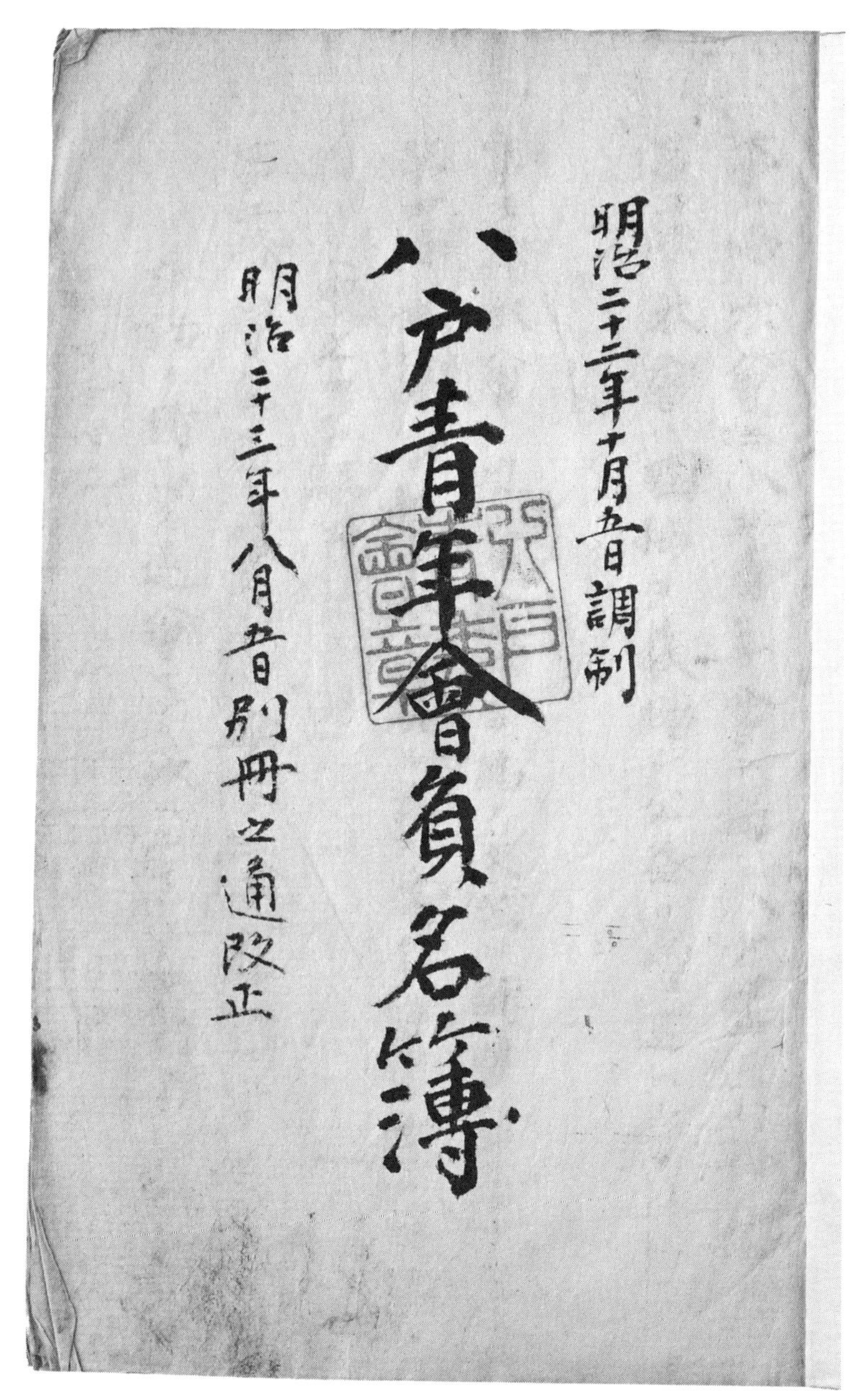

明治二十二年十月五日調制

八戸青年會員名簿

明治二十三年八月五日別冊之通改正

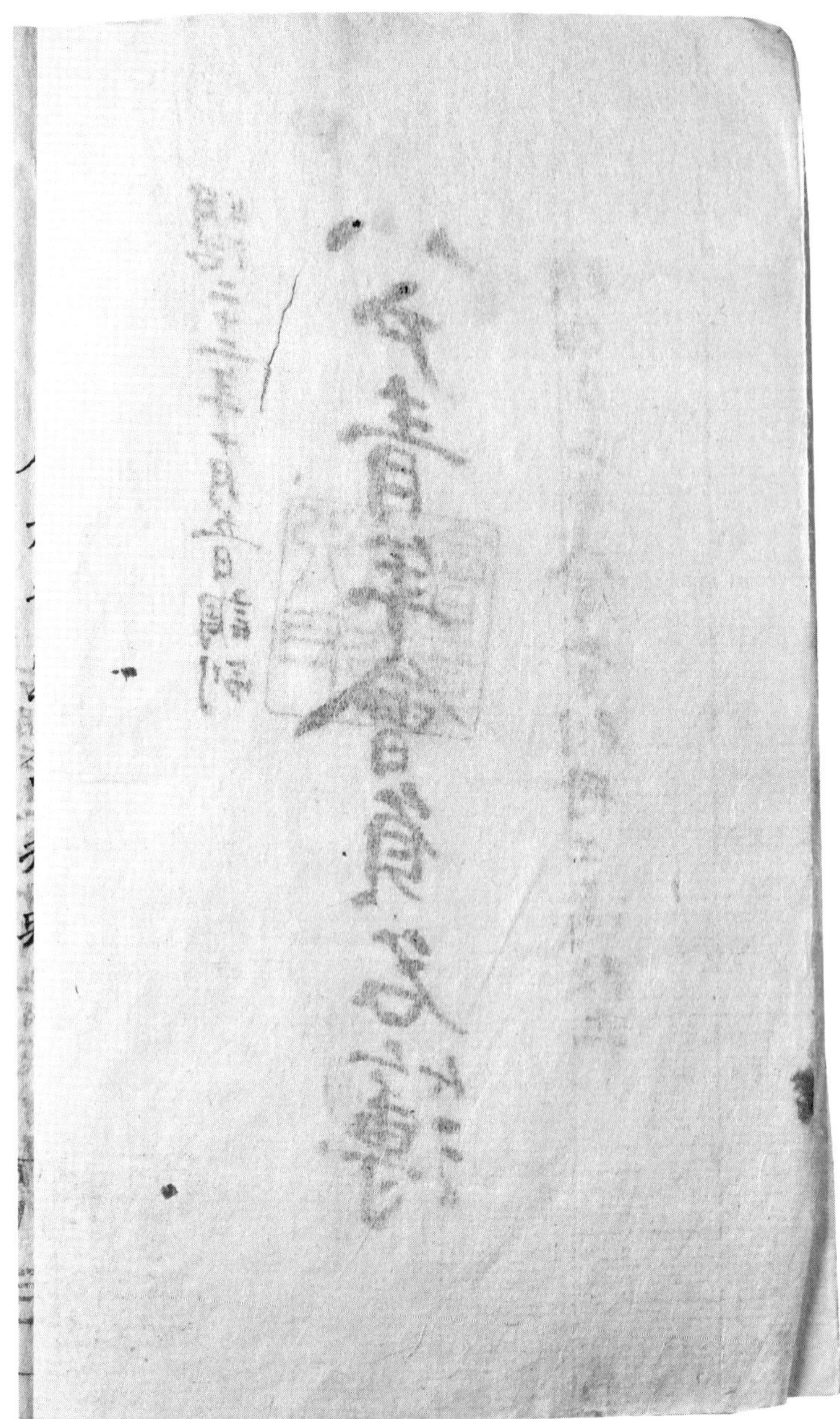
八女青年會會員名簿

第一條 本會ヲ八戸青年會ト稱シ八戸鷹匠小路ニ置ク、
第二條 本會ハ國粹ヲ發揚シ公益ヲ增進スルヲ目的トス、
第三條 本會ノ目的ヲ達センカ為メ文武ヲ講習スルモノトス、
第四條 本會事務ヲ整理スル為メ委員七名ヲ置キ每総會之ヲ公撰ス、
第五條 會員タルヲ望ム者ハ會員二名ノ紹介ヲ以テ委員ノ許諾ヲ請フベク退會セントスルモノハ紹介人ヨリ委員ニ屆出ツベシ、

第六條　本會ハ毎年夏冬二回ノ総集會ト毎月一回ノ小
集會ヲ開ク、
但シ臨時集會ハ此限リニ非ラズ、
第七條　本會経費ハ有志者ノ寄附ト會員ノ分擔トヨリ成
ル、
第八條　本會正員ニ非ラスシテ本會ノ目的ヲ賛成シ維持ヲ扶
助スル者之ヲ賛助員トス、
第九條　本會ノ目的ニ背キ及ヒ不正ノ所為アルモノハ委員決
議之上之ヲ謝絶ス、

（會員

第一号　｜　安藤源五郎

第二号　浅水又次郎

第三号　・　平田浩

第四号　三上正淳

第五号　退　除　神弓次

第六号　退　除　佐藤久満留

第七号　退　除　嶋宇勝ミ

第八号　樽待末五朗

第九号　十河信一

第九号　十内言一

第拾号　神山廣志

第拾一号　退　中里好誠

第拾二号　湊要之助

第拾三号　北村益

第拾四号　退除　長谷川利吉

第拾五号　退　西村宗徳

第拾六号　退　蛇口秀太郎

第拾七号　蛇口秀雄

第拾八号　退　豊山静延

第拾九号　古村常

第弐拾号　退　除　鹿山三郎

第弐拾一号　高橋政義

第弐拾二号　高橋昇

第弐拾三号　高崎寿

第弐拾四号　玉井雷人

弐拾五号　■　中垣定見

弐拾六号　中里辨吉

弐拾七号　除　退　中里善義

弐拾八号　北　菅正之郎

弐拾九号　八重畑逸之

参拾号　[illegible]

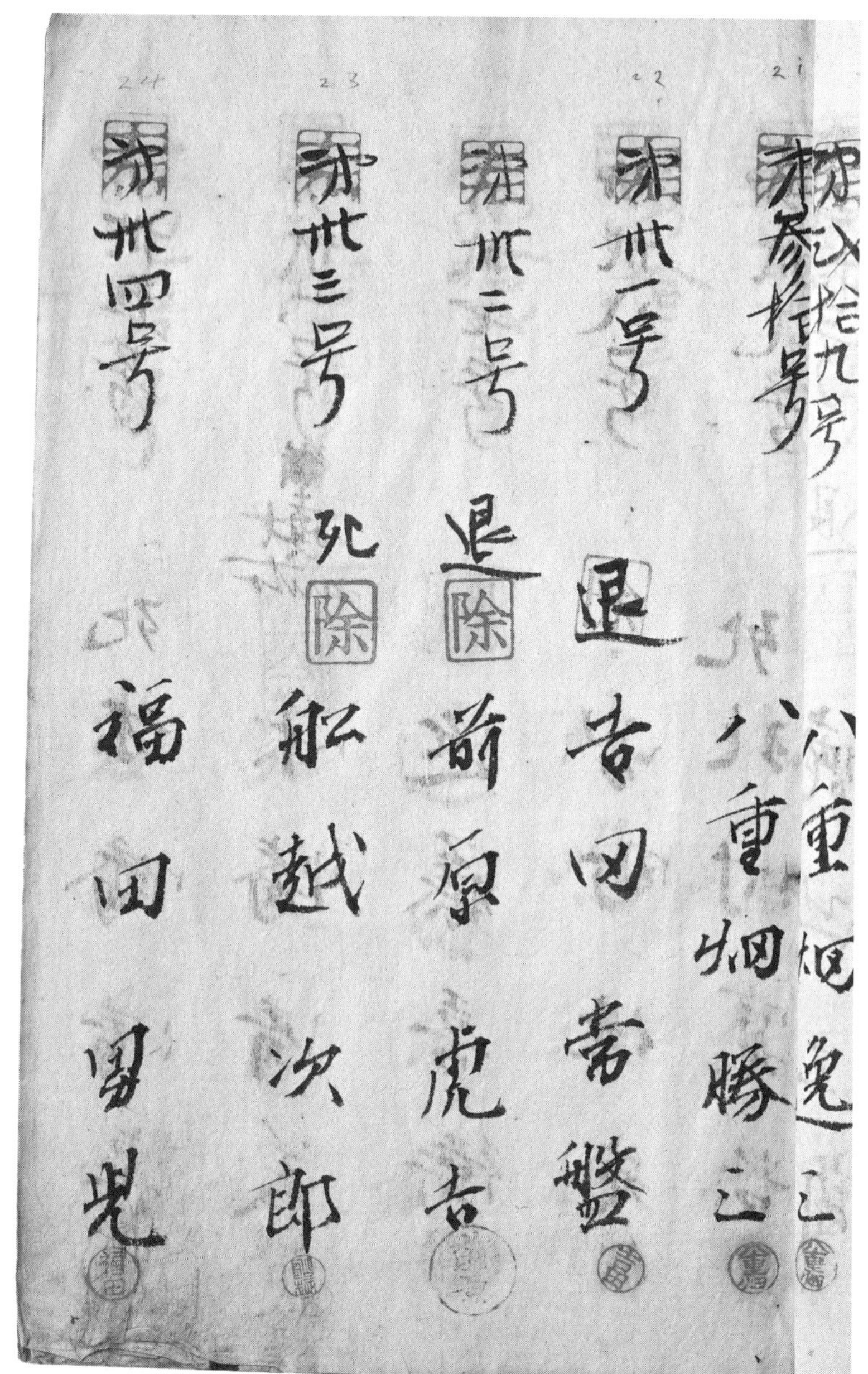
第参拾九号 八重畑逸三
第卅一号 退 八重畑勝三
第卅二号 退 除 吉田常盤
第卅三号 死 除 前原虎吉
第卅四号 船越次郎
福田留光

第卅五号 死 木幡清惠

第卅六号 除 木幡清義

第卅七号 除 近藤喜衛

第卅八号 岩田佳定

第卅九号 死 北村寛吾

北嶋

第卅九号　死　北[illegible]寛吉

第四拾号　北嶋孝志

第四拾壱号　北嶋和雄

第四拾弐号　退　除　遠藤秀雄

第四拾三号　退　除　岩泉亀松

第四拾四号　岩山萬[illegible]

33
第四拾五号　退　天城政

34
第四拾六号　退　湊熊太郎

第四拾七号　梅待治世

35
第四拾八号　退　鈴木修吾

第四拾九号　小杉幸

第五拾一号　……義……

第四拾九号　退
杉　幸

第五拾一号　退　除
藤澤民三郎

第五拾二号　死　除　在東京
滝澤八十治

第五拾三号　退　在西京
佐藤末五郎

第五拾号　退　除
盛　音次郎

第五拾四号
細越庄三郎

弐百拾五号 細川道朗

弐百拾六号 奈須川徳光

弐百拾七号 苫米地甲衛

弐百拾八号 在青森 鈴木通孝

弐百拾九号 川勝太四郎

第六拾号　都築嘉門

第六拾壱号　川勝陞章

第六拾弐号　北村啓次郎

第六拾参号　上野元治郎

第六拾四号　中野菊武

45
第六拾五号　退　除　石井富彌

46
第六拾六号　退　藤田尚三

47
第六拾七号　退　除　上杉末雄

48
第六拾八号　退　除　河原木宗磯

第六拾九号　中里高之

第七拾号　稲葉篤三

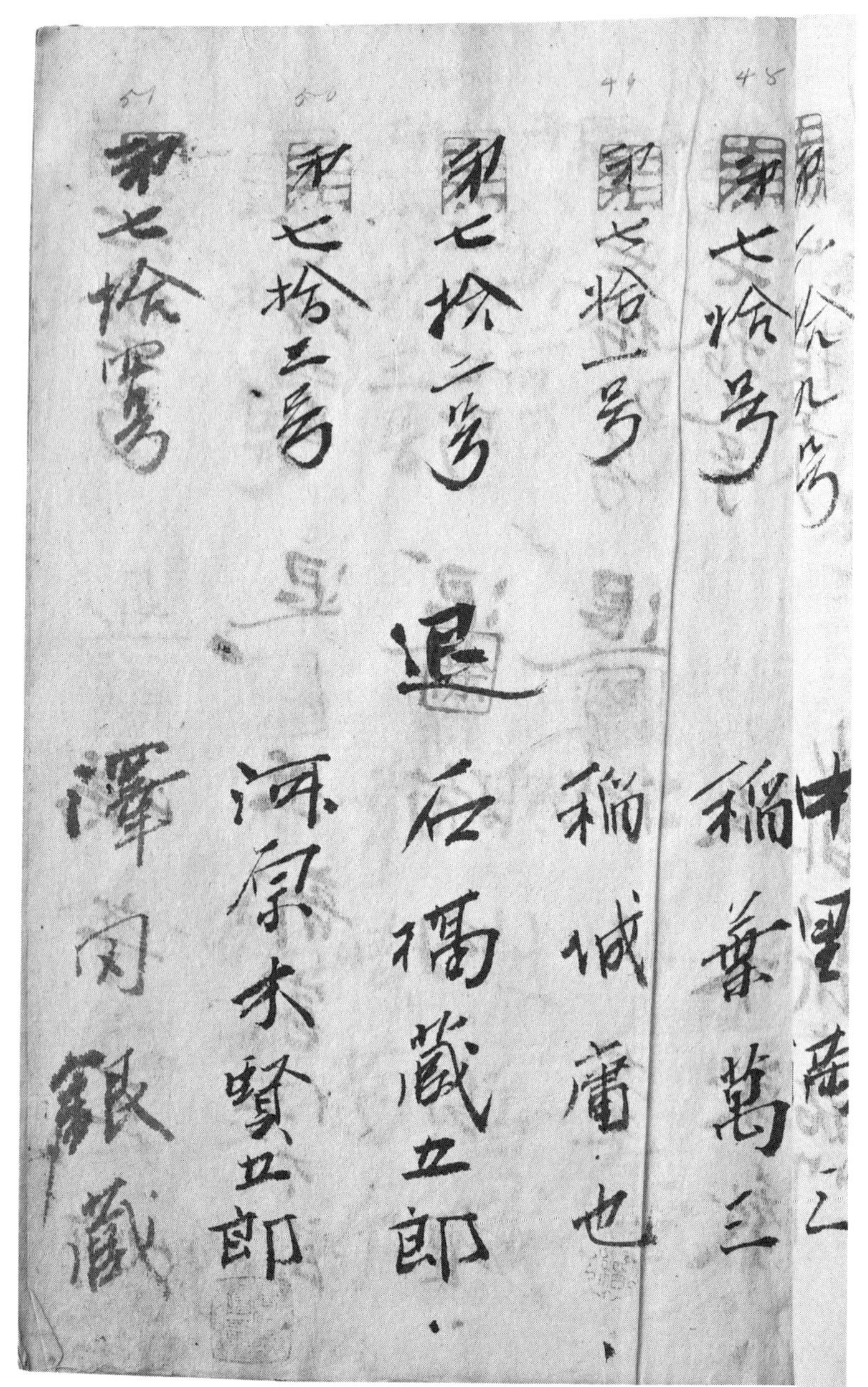

第七拾五号　嶋守三崎

第七拾六号　退　除　正部家伊太郎、

第七拾七号　退　除　猪内勇雄

第七拾八号　退　除　識山莞付

第七拾九号　阪本榮藏

第八拾号　除　奥寺龍

第七拾九号 阪本榮藏

第八拾号 除 奥寺龍藏 幼年ヨリ行衛

第八拾一号 上杉傳

第八拾二号 船越香織

第八拾三号 青嶋萬作

第八拾四号 沼館安二郎

第八拾五号 退 除 中奈兼兵郎

丙八拾六号　平田尚太郎

丙八拾七号　大澤千亀

賛助員

贊助員

第壹號　太田廣城

第貳號　㭉内吉忠

第参號　小田為綱

第四號　大澤多門

第五號　野村信熙

第六號　蒔田利見

第七號　中里幸隆

第八號　北村金禀

第九號　奈須川光宝

明治二十三年八月　日退會

第拾號　除　淺水禮次郎

第拾一號　稲城篤實

解説

八戸書籍縦覧所関連資料解説

鈴木 淳世

はじめに

本書は、明治七年（一八七四）に創設された私立図書館「八戸書籍縦覧所」の関連資料をいくつかピックアップし、収録したものである（以下、本文中の①～⑮は本書収録資料の番号を示す）。「刊行にあたって」でも述べた通り、八戸書籍縦覧所は宝暦三年（一七五三）頃創設の書物貸借組織「大仲間」の後身であり、青森県東部の公共図書館（public library）の一つ・八戸市立図書館（現八戸市糠塚）の前身にあたる。八戸書籍縦覧所創設時期を起点にして考えてみると、八戸市立図書館は一五〇年もの歴史を有していることとなり、日本《最古級》の図書館としても評価できる(1)。もちろん、「ユネスコ公共図書館宣言」（和暦：令和四年〈二〇二二〉改訂）には「公共図書館の建物への入場およびサービスは原則として無料とし、地方および国の行政機関が責任を持つものとする」とあり、その国際的な基準に照らし合わせれば(2)、私立・有料公開の明治初期の八戸書籍縦覧所は公共図書館と言い難い。とはいえ、八戸市立図書館は近世書物貸借組織から近代公共図書館に至るまでの組織的連続性が認められる希有な事例であり、やはり日本《最古級》の図書館であることは間違いない（書籍館はlibraryの訳語の一つであり、明治期に図書館と併用されていた時期もあるが、読みやすさを考慮し、以下、本文中では固有名詞を除き、書籍館の表記は用いない）。実際、八戸市立図書館には八戸書籍縦覧所関連資料が多く残されている。そして、そのうち特に重要な蔵書目録を中心とする関連資料を収録したものが本書である。具体的には、大仲間と、それに類似した書物貸借組織「小仲間」、八戸書籍縦覧所の運営団体となっていた弘観舎・八戸青年会の関連資料を収録した。日本の近代公共図書館・近世書物貸借組織の研究のために役立ててほしい。

1　本書収録資料の基礎知識

（1）大仲間・小仲間の概要

まず、これまでの研究成果を敷衍し、本書収録資料の解説の前提となる大仲間・小仲間・八戸書籍縦覧所の概要を述べていきたい。そこで、大仲間の概要から述べていくこととするが、大仲間の概要説明には大仲間構成員の主家・八戸南部家（表高二〇、〇〇〇石・柳間席）の基礎情報も必要になるため、その基礎情報の提示から始める。そもそも、八戸南部家は寛文四年（一六六四）に盛岡藩の領主・盛岡南部家

【図表①】八戸書籍縦覧所の蔵書印

※『化学日記 初編』8-414（八戸市立図書館固有図書）

【図表②】大仲間の蔵書印

※『主図合結記』13-44（八戸市立図書館固有図書）

（表高一〇〇、〇〇〇石・柳間席〈後に表高二〇〇、〇〇〇石・大広間席〉）から分けられ、陸奥国三戸郡・九戸郡・志和郡のうち八三村を領知として与えられた大名家である。居所は八戸城（現八戸市内丸）であり、城付地は現在の青森県の八戸市・階上町・南部町や岩手県の久慈市・洋野町・軽米町・九戸村・葛巻町にまたがる領域であった。幕末期には奥羽越列藩同盟へ加入したものの、大きな戦闘には関与せず、戊辰戦争後に減封などの処罰を受けることもなかった。(3)

八戸藩政史上、儒学・兵学などの師範が初めて定められ、学問が奨励されるようになったのは二代目当主・南部遠江守直政（一六六一～一六九九）の治世下であり、その後、徐々に多種多様な学問が教授されるようになっていった。例えば、五代目当主・南部遠江守信興（一七二四～一七七三）の治世下の宝暦二年（一七五二）五月には八戸城下に「稽古所」が設置され、同所で「諸流稽古」が行われるようになった。その直前まで「文武学芸諸流」の「稽古」が、それぞれの「師範宅」でなされていたことを踏まえれば、稽古所設置は「文武学芸諸流」の師範が一つの施設に集められ、集中的に家臣教育が行われるようになった大きな画期であったと考えられる。また、文政一二年（一八二九）一〇月一五日には八戸城内へ稽古所の代替施設として藩校「学校」が設置され、武術・馬術・兵学・儒学・医学・算学などの教授が網羅的に行われるようになった。さらに、明治三年（一八七〇）四月には八戸城内へ学校の代替施設として「藩学校」が設置され、(4)漢学・洋学が教授されるようになった。これらのことを踏まえれば、信興の治世下は固定的な教育施設を設置し、家臣教育を組織的に行い始めた端緒であったと言えよう。(5)

なお、大仲間の成立時期は宝暦三年頃と推定されるが、それは大仲間の『御仲ケ間書物定目帳』が宝暦三年に作成されていたことを根拠とする。(6)宝暦二年に稽古所が創設され、家臣教育が組織的に行われ始めた時期と重なることを踏まえれば、八戸南部家の文教政策の変化と連動する形で大仲間は成立したと考えられる。家中における大仲間の位置づけは判然としないものの、大仲間が構成員の出資金を八戸南部家公認の「舫所」という組織で運用していたことは既に明らかとなっている。舫所とは、家中のものから金銭を徴収し、その金銭を領民に貸し付けて利子をとり、貯金を維持・増幅させつつ、入用な家中のものに金銭を貸与する「藩営」の相互扶助組織であるため、大仲間が八戸南部家と密接な関係を有していたことは間違いない。また、大仲間は八戸南部家の御納戸・藩学校との間で蔵書の融通を行っていたことも確認でき、少なからず「公」的な性格を帯びていたと思われる。構成員については、八戸南部家家臣に限定される。その人数は基本的に四三であり、文化期から明治期までの間に変動することはなかったため、構成員の増加を認めない閉鎖的な組織であったと言える。書物の共同利用権は売買可能なものとなっており、構成員が入れ替わることはあったものの、武士のみによって構成されていたことに変わりない。(7)

他方、小仲間の成立時期は未詳である。しかし、天保六年（一八三五）頃に作成されたと推定される蔵書目録⑤「(書物目録)」からは、小仲間が天保二年（一八三一）正月二五日に「細越諺記」という書物を筆写させていたことが確認できるため、少なくとも天保二年正月以前には成立していたと考えられる。管見の限り、小仲間の蔵書目録は後欠のものしか見当たらず、構成員の全体像は把握できていないが、蔵書目録⑤からは小仲間が「本仲間」「並仲間」「町仲間」に分けられており、構成員の総数が一四七以上であったことが読み取れる。(8)各仲間・構成員の名称から、本仲間は小仲間の中核的な組織、並仲間は本仲間に準ずる組織、町仲間は八戸城下周辺の商人によって構成された組織と思われるが、構成員には僧侶・商人などもふくまれており、大仲間との性格の相違が見受けられる。また、蔵書目録⑤と安政二年（一八五五）九月作成の蔵書目録⑥「仲間書物預本牒」を比較してみると、本仲間構成員の人数が

増えていたことがわかるため、小仲間は構成員の増加を認める開放的な組織であったと評価できる。(9)

小仲間の蔵書については、蔵書目録の欠損によって全体像の把握が困難であるものの、蔵書目録⑤からは蔵書が「惣仲間ニ而調之候」書物・「仲間書物」・「外預書物」に分類されていたことが読み取れる。外預書物には「引廻方」(蔵書目録⑥の預かり主)への「取次用立無用」と注記されており、構成員同士で直接貸借できるものを指すと考えられる。逆に、仲間書物には引廻方への「取次用立無用」の注記がなく、外預書物から区別されているため、引廻方への「取次用立」を必要とするものであったと思われる。そして、残りの「惣仲間ニ而調之候」書物は「見料」(閲覧料金)などによって買い調えられ、「組頭世話役」(職掌未詳)に預けられていたものであり、いわば惣仲間共有書物である。(10)このような分類は大仲間とも部分的に共通しており、大仲間には仲間書物・外預書物の分類のみ存在している。現時点で大仲間に引廻方がいたことは明らかにできておらず、貸借過程に不明瞭な点が残されているが、青森県三戸郡公立八戸中学校教師長・渡辺村男(一八五七～一九三五)によって編纂され、明治一四年(一八八一)八月

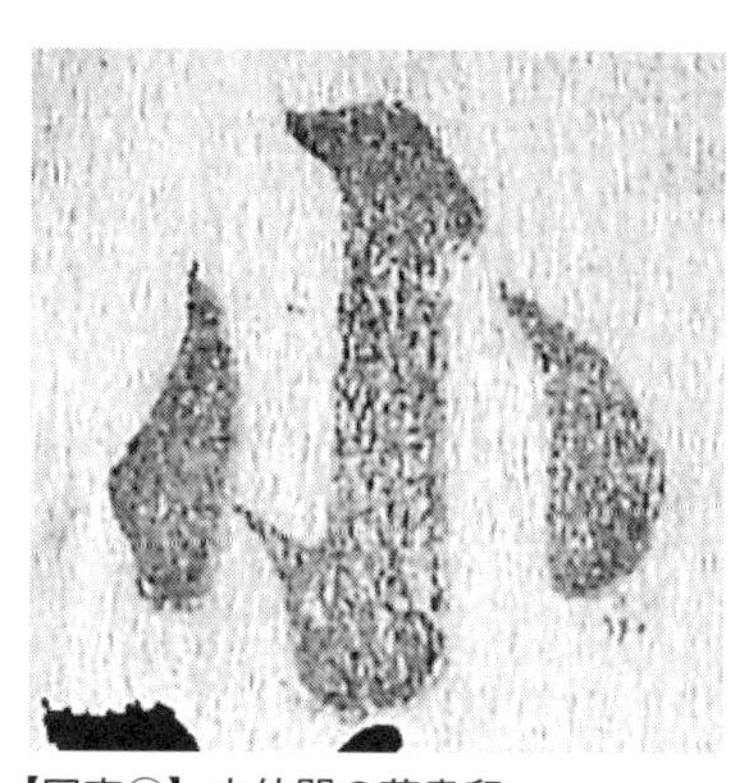

【図表③】小仲間の蔵書印

※『仲間書物預本牒』10-14-0-0-10(八戸南部家文書)

【図表④】八戸青年会の蔵書印

※『弘観舎蔵書目録』1-5(八戸市立図書館固有図書)

に明治天皇（一八五二〜一九一二）へ献上された地誌『八戸聞見録』は、小仲間を大仲間の類似組織と見なしているため、大仲間の蔵書分類も小仲間に近いものであったと推察される(11)。

ちなみに、蔵書目録⑤からは小仲間が天保六年頃に三〇四部一、二六〇冊以上の書物を扱っていたことが確認できる(12)（内訳は【図表⑤】を参照）。また、慶応元年（一八六五）七月に作成された大仲間の蔵書目録③「仲間書物目録」からは、仲間書物が四一四部四、四一九冊、外預書物が二七部八一七冊であり、総数が四四一部五、二三六冊にも及んでいたことがわかる(13)。

	仲間書物所蔵者	外預書物所蔵者	惣仲間書物所蔵者	合計
惣仲間	0	0	4	4
本仲間	19	7	0	26
並仲間	114	24	0	138
町仲間	14	0	0	14
合計	147	31	4	182

	仲間書物		外預書物		惣仲間書物		合計	
	冊数	部数	冊数	部数	冊数	部数	冊数	部数
惣仲間	0	0	0	0	108	7	108	7
本仲間	113	54	138	14	0	0	251	68
並仲間	502	181	355	39	0	0	857	220
町仲間	44	9	0	0	0	0	44	9
合計	659	244	493	53	108	7	1,260	304

	仲間書物（冊数/部数）	外預書物（冊数/部数）	惣仲間書物（冊数/部数）	合計（冊数/部数）
惣仲間	0.00	0.00	15.43	15.43
本仲間	2.09	9.86	0.00	3.69
並仲間	2.77	9.10	0.00	3.90
町仲間	4.89	0.00	0.00	4.89
合計	2.70	9.30	15.43	4.14

【図表⑤】天保6年（1835）頃の小仲間の基礎情報

※『書物目録』1-1（遠山家旧蔵本）を参考にして作成。

（2）八戸書籍縦覧所の概要

次に、八戸書籍縦覧所の概要を述べていく。そもそも、八戸書籍縦覧所創設を主導したのは大仲間「世話取締」逸見屯興長（一八二八〜？）である。明治七年三月二三日、興長が「書籍縦覧所」の建築資材を得るため、同役の新宮興運と共に八戸南部家へ旧八戸城物見櫓を買い取ったことが発端となっているが、物見櫓は後に無償で与えられ、八戸町堀端丁（現八戸市堀端町）二番地に「書籍縦覧所」が建設されることとなった。そして、大仲間・八戸南部家・藩学校の蔵書を引き継ぎ、明治七年六月一五日に「開業」したものこそ八戸書籍縦覧所であった。実際、明治八年（一八七五）に文部省は早くも八戸書籍縦覧所を「書籍館」の一つとして位置づけている。ただし、創設当初、八戸書籍縦覧所は「観覧料」を徴収しており、日曜日にしか蔵書の貸与・閲覧を許可していなかった。また、創設時「惣仲間古四十三名・新加入百三名」がおり、構成員の人数が大幅に増加していたことは確認できるものの、構成員を限定していたことに変わりはない。さらに、八戸書籍縦覧所の運営団体・弘観舎は「旧八戸藩士族」によって構成されており、依然として大仲間と同様の閉鎖性を有していたと推察される。[14]昭和四九年（一九七四）刊行の『八戸市立図書館百年史』（以下『百年史』と表記）が、八戸書籍縦覧所を会員制図書館（subscription library）に近いものとして位置づけていたのも、故なきことではない。[15]

弘観舎の趣意書・規則⑪「（書籍縦覧場設立趣意書）」によると、八戸書籍縦覧所内に「集議所」を設け、様々な分野の「問題」を「会合」で議論することが定められていた。実際、明治政府が清国領台湾へ出兵し、その和平交渉に苦慮していたことを受け、明治七年一〇月二八日に約一七〇名の「旧八戸藩士族」が八戸書籍縦覧所に集結し、従軍志願者の組織編制を行っていた。結局、従軍志願者の陸軍省到着前に「日清両国互換条款」が調印されたため、従軍志願者の派遣には至らなかったものの、このエピソードから明治初期の八戸書籍縦覧所で「会合」が開かれていたことが裏づけられる。同時に、その「会合」が「旧八戸藩士族」にとって極めて重

【図表⑥】弘観舎・八戸書籍館の蔵書印

※左：『技術教育進歩論』6（近・現代史料）

※右：『理事巧程』8-7（八戸市立図書館固有図書）。

要なものであり、部外者が容易に入り込めない空間となっていたこともうかがえる。結果、明治一〇年代前半の年間「来観人員」は二五〇～二七五ほどにとどまっていた(16)。

このような状況を変化させたのは、明治一三年（一八八〇）九月の八戸書籍館併設である。八戸書籍館とは「八戸町外七十二ヶ村」が連合して創設した公立図書館である。「七十二ヶ村」の具体的な範囲は詳らかではないものの、八戸書籍館「幹事・学務委員」兼任者七名の居住地が八戸町・田面木村・糠塚村・新井田村・斗賀村・下名久井村・浜通村（現八戸市・南部町）であり、八戸書籍館は八戸町周辺地域の人びとによって創設された施設であったと考えられる(17)。八戸書籍館の所在地は八戸書籍縦覧所と同様に八戸町堀端丁二番地であり、かつ「主管者」も弘観舎関係者であったため、実体としては区別しにくいものであったが、明確な相違も、やはり存在していた。その相違の一つは、創設当初から「毎水曜日并歳首・年尾・大祭・祝日」以外開かれ、無料公開を実現していたことである。しかも、八戸書籍縦覧所は八戸書籍館併設以降「観覧料」を徴収しなくなっており、八戸書籍館は八戸書籍縦覧所の無料公開化を促す役割も果たしていた。無料公開が公共図書館の要件の一つであることを踏まえれば、八戸書籍館は八戸書籍縦覧所を公共図書館の理念に近づけさせた触媒であったと評価できる。結果として、八戸書籍館・八戸書籍縦覧所の年間「来観人員」は短期間のうちに激増しており、明治一八年（一八八五）の両施設の合計「来観人員」は五、三三五人にも達していた。とはいえ、八戸書籍縦覧所は近世書物貸借組織の閉鎖性も色濃く継承しており、八戸町堀端丁二番地の建物には近代公共図書館の理念と近世書物貸借組織の閉鎖性が並存していたと思われる(18)。

その後、明治二〇年（一八八七）に八戸書籍館・八戸書籍縦覧所は資金途絶を理由にして「閉止」する。明治二八年（一八九五）六月、八戸書籍縦覧所の運営は八戸青年会に委託されることとなるが、八年間近く「閉止」していたことは間違いなく、そこに組織的な断絶を見て取ることも可能である。(19)しかし、明治二八年六月八日に八戸青年会の中心的メンバー・湊要之助忠康（一八六六～一九〇四）へ八戸書籍縦覧所の運営を委託した人物が弘観舎「主監」船越宣美（一八五二～一九一三）であり、弘観舎が八戸書籍縦覧所を管理し続けていたことがうかがえるため、組織的連続性は維持されていたと考えられる。(20)また、盛岡藩領陸奥国九戸郡宇部村（現岩手県久慈市）出身の儒学者・小田為綱（一八三九～一九〇一）の「日記」明治二一年（一八八八）九月三日条には「予、八戸を去んとせしに奈須川光宝・浅水礼次郎等強て願に依て、此の日八(ママ)戸縦覧所に於て義塾を仮に開く事となり、学生、学を乞うもの三十五人」とあり、八戸書籍縦覧所は「閉止」中も「義塾」の講義場として活用されていたことが確認できる。また、奈須川光宝（一八五五～一九二六）・浅水礼次郎（一八五二～一九二三）がいずれも「旧八戸藩士族」であったことに注目すれば、依然として八戸書籍縦覧所は「旧八戸藩士族」と密接な関係を有していたと言えよう。(21)

ちなみに、八戸義塾は明治二二年（一八八九）一月二八日に八戸書籍縦覧所から八戸町内の別の場所へ移転し、同年七月には為綱の上京に伴って閉講となってしまうため、開講期間は一〇月ほどにすぎなかった。しかし、講師の小田為綱は私擬憲法「憲法草稿評林」上段評論（本文上部に書き込まれた朱書の評論）の作者と見なされており、日本近代史の領域では比較的著名な人物である。また、当時既に為綱は高名な儒学者として知られており、彼の教えは様々な人びとに影響を与えていた。実際、後に八戸書籍縦覧所の運営団体となる八戸青年会の中心的メンバー・湊忠康も八戸義塾の塾生であり、八戸青年会は為綱の思想的影響下で創設されたものと考えられる。(22)厳密に言えば、忠康自身は明治二〇年六月に「豪傑英夫」養成のために組織した「明義会」を八戸青年会の前身と見なし、明治一六年（一八八三）四月に「敬神破邪勤王愛国文武決死」を主旨として組織した「徳成社」を明義会の前身に位置づけていたため、八戸青年会の淵源は徳成社にあるとも言える。また、忠康の語録『空眼雑録』からは、彼が八戸南部家で儒学師範・西洋銃砲隊教師などを務めていた栃内吉忠（一八二五〜一八九三）の影響を受けており、吉忠に八戸青年会創設の相談を持ちかけていたことが確認できるため、吉忠の思想的影響も無視できない。[23]とはいえ、八戸青年会自体、八戸義塾閉講直後の明治二二年一〇月五日に創設されたものであり、かつ明治四一年（一九〇八）一一月二〇日『官報』第七六二二号の調査結果に「八戸青年会ハ…八戸義塾設立ノ精神ヲ襲（つ）キ青年者ノ訓育ニ力（つと）メン」とあることを思い合せれば、[27]八戸青年会は直接的には八戸義塾の後身として創設されたと思われる。[24]

なお、八戸青年会とは、湊忠康が友人・北村益（一八六九〜一九五一）などの「旧八戸藩士族」と共に結成した私的教育機関であり、その目的は「国粋ヲ発揚シ、公益ヲ増進スル」こととしていた。八戸青年会には、諸規則の改正・修正・廃止などの事務全般を司る総務局、全体の会計を司る理事局、構成員の「真智活才」養成のために「内外古今ノ文学」を教授する修文局、「神国特有尚武ノ風」の発揚のために武芸・兵学を教授する講武局、「学芸研究ノ一助」のために書物を収集・保存・公開する図書局、「実業思想」涵養のために「遅満園」を経営する農務局が存在しており、総務局・理事局が修文局・講武局・図書局・農務局を統括する体制となっていた[25]（明治三三年〈一九〇〇〉時点の役職就任者は【図表⑦】を参照）。後に八戸書籍縦覧所の運営に携わることとなるのは図書局であるが、八戸青年会全体の活動を見てみると図書局の活動は様々な活動のうち一つにすぎないという印象を受けてしまうかもしれない。しかし、八戸青年会は創設当初から「八戸書籍縦覧会」を設け、積極的に書物の収集・保存・公開を行っていた。しかも、忠康自身、明治二五年（一八九二）一二月三一日に日記へ「古本蒐集ノ此ノ運動ハ遂ニ書籍館ノ図書ヲ本会ニ寄贈セシムル媒介タルヘキカ、浅智ノ輩ハ共ニ語ルニ足ラス、予カ政略大概此方針ヲ採ル」[26]と書き記しており、八戸書

	役職	名前
幹部	会長	北村益
	管理委員	湊要之助／船越香織／岩山高房
	在京会員監	奈須川葆光／久保沢董
総務局	局長	湊要之助
	加判	川勝章太郎／野村虎也／中里幸次郎／細川扇治／類家洋一郎／池田元治／北田厳
	記事	船越勝江
	局附	白井哲夫／苫米地武雄
修文局	局長	湊要之助
	理事	野村虎也／中里幸次郎／類家洋一郎／船越勝江／北田厳／佐々木富三郎
	理事補	中里隆雄／白井哲夫
	場内掛	荒木田三郎／中里幸能
	局附	河合舜吉／中里忠／木幡健五郎
	言語練習会整理委員	平田芳太郎／中里幸次郎／細川扇治／北田厳／池田元治
	同場内掛	喜多嶋巷／北村定雄／蒔田増蔵
	導師	小田為綱／前田利見
	教授部長	女鹿左織
	講師	坂本小七／玉内勝蔵／鳥屋部虎太郎
	助講	野村虎也／中里幸次郎
講武局	局長	北村益
	理事	苫米地虎衛／平田芳太郎／細川扇治／類家洋一郎
	理事補	苫米地武雄
	場内掛	千葉親一／喜多嶋巷／鈴木通雄／久保沢久
	局附	河合舜吉／中里忠／木幡健五郎
	師範（甲州流武学）	岩山高憲
	師範（通神流剣術）	岩山高憲
	師範（川崎流柔術）	女鹿宗彬
	師範（高巣流縄術）	細川来作
	師範（一当流柔術）	日沢義直
	師範（北辰一刀流剣術）	寺田重矯
	師範（無念流剣術）	前田利見
	訓育部長	湊要之助
	訓育部次長	北村益
	訓育掛（躾術科講師）	坂本栄教
	訓育掛（撃剣科講師）	稲葉武男
	訓育掛（撃剣科講師）	苫米地虎衛
	訓育掛（体育棒術科講師）	平田芳太郎
	訓育掛（棒術科講師）	稲城庸也
	訓育掛助勤（農務局理事〈ママ〉）	川勝章太郎
	訓育掛助勤（撃剣科助講）	野村虎也
	訓育掛助勤（棒術撃剣科助講）	中里幸次郎
	訓育掛助勤（棒術撃剣科助講）	細川扇治
	訓育掛助勤（棒術撃剣科助講）	類家洋一郎
	訓育掛助勤（撃剣科助講）	北田厳
	水練科講師（客員）	中里忠香
図書局	局長	船越香織
	理事	平田恒五郎／北田厳
	理事補	苫米地武雄
	局附	荒木田三郎／佐藤雅各／喜多嶋巷
農務局	局長	岩山高房
	理事	稲城庸也／川勝章太郎／池田元治／中里幸次郎／野村虎也／細川扇治
	理事補	蒔田時蔵／苫米地武雄／笹川児三郎
	局附	千葉親一／喜多嶋巷／荒木田三郎／赤沢常松
	農務局講師	白井毅一／中村丈一郎／野沢龍雄／嶋守定信／岩間精一／阪本小七
	遅満園監督	上杉正於
	農務局附属員	米沢徳蔵
理事局	局長	湊要之助
	理事	稲城庸也／平田芳太郎／川勝章太郎／野村虎也／類家洋一郎／船越勝江／佐々木富三郎／池田元治
	理事補	蒔田時蔵／白井哲夫／櫛引亀吉
	局附	小向純平／荒木田三郎／赤沢常松／北村定雄／蒔田増蔵／小井河潤次郎／千葉芋／岩館新太郎／木幡健五郎
	八戸青年会出納総監督	南部一角

【図表⑦】　明治33年（1900）時点の八戸青年会役職就任者

※『八戸青年会職員録』14-64（「八戸青年会文庫」八戸市立図書館所蔵）を参考にして作成。

籍縦覧会の活動を「書籍館」＝八戸書籍縦覧所の委託を促すための事業として位置づけていたことが確認できる。実際、忠康は弘観舎から八戸書籍縦覧所の委託依頼を受けた際「予ハ喜テ諾ス」と述べており[27]、彼が八戸書籍縦覧所の運営に強い意欲を有していたこともうかがえる。これらのことを踏まえれば、創設当初から八戸青年会において八戸書籍縦覧所の運営は中心的な事業の一つとして認識されていたと推察される。

付け加えておくと、八戸青年会の構成員の大部分は「旧八戸藩士族」であり[28]、明治二八年以降も八戸書籍縦覧所は「旧八戸藩士族」によって管理され続けていたと言える。明治二八年一〇月二〇日制定の「八戸青年会図書館規程」から、八戸青年会が「公衆」への「縦覧」「借覧」を許可していたことが確認できるものの、同史料には「館外貸出ハ本会員及ヒ弘観社員又ハ会員及社員ノ保証アル者ニ限ル」とあり[29]、八戸青年会・弘観舎の構成員以外への館外貸出を禁止していたことが読み取れる。結果として、明治三〇年代の八戸書籍縦覧所の年間「開館日数」は八〇～一二五日ほど、年間「閲覧人員」は一〇〇～五五〇人ほどの低水準で推移していた。明治四〇年代となると、二、〇〇〇人以上の年間「閲覧人員」が記録されることとなるが、明治一〇年代の八戸書籍館併設時の年間「閲覧人員」と比較しても低水準であり、八戸書籍縦覧所は近世書物貸借組織の閉鎖性を明治後期まで部分的に維持し続けていたと考えられよう[30]。

八戸書籍縦覧所の蔵書については、大仲間・八戸南部家・藩学校から引き継いだものが基礎となっている。特に、創設当初から大きな割合を占めていたのは大仲間由来の蔵書である。元々、大仲間の蔵書には儒学・兵学・医学・文学・歴史・天文・農業・香道・道教・禅宗など様々な分野の書物がふくまれており、多様な需要に応えられるものとなっていた。厳密に言えば、儒学・兵学関連の書物が比較的多くふくまれているが、それは八戸南部家で朱子学・甲州流軍学の兼修が推奨されていたことを反映した蔵書構成であり、八戸南部家家臣の需要にピンポイントで応えるものであったと考えられる。八戸書籍縦覧所も基本的に「旧八戸藩士族」によって運営・利用されていたことからすると、不都合は少なかったと推察される。(31)また、八戸書籍縦覧所の蔵書には、藩学校のうちの洋学校から継承された英語の初等教科書『英学階梯』（明治四年〈一八七一〉改正）などがふくまれているため、(32)英語学習者の需要にも多少は対応できたと思われる。もっとも、八戸書籍縦覧所創設当初「歳費」は微々たるものにすぎず、「書籍部数」も一、一九七部七、五四六冊から増加することはなかった。当時、近代西洋の「知」が先進的なものとして理解され、その「知」の源泉となる「新書」が求められていたことからすると、八戸書籍縦覧所は当時の一般的な人びとの需要に応えることができていなかったと推察される。しかし、明治一三年九月の八戸書籍館併設以降、「八戸町外七十二ヶ村」の税収を背景にして「書籍部数」を短期間のうちに増加させており、多様な需要に応えられるようになっていた。(33)さらに、八戸青年会は八戸書籍縦覧所受託以前から独自に書物を収集しており、明治二八年の八戸書籍縦覧所受託以降は八戸青年会蔵書を弘観舎蔵書を共に公開していた。八戸青年会自体は明治四四年（一九一一）一〇月八日に「休会」することとなるが、「第廿参回定期総集会報告書」から「休会」直前の同年四月一五日時点で八戸青年会蔵書が二、六四一部四、三四三冊、弘観舎蔵書が一、〇八六部八、〇六八冊となっていたことが確認できる。(34)

補足しておくと、明治二八年以降、八戸書籍縦覧所は八戸町鷹匠小路九番地内（現八戸市鷹匠小路）に移されていた。その建物・蔵書は八戸青年会「休会」後に八戸町へ移管され、大正二年（一九一三）四月以降、八戸町立図書館の運営に活用されることとなった。そして、この八戸町立図書館が昭和四年（一九二九）五月の市制施行に伴い、八戸町堀端町二番地の八戸尋常小学校旧講堂（明治天皇八戸行在所跡）へ移転し、改組されたものこそ八戸市立図書館で

ある。そして、紆余曲折を経て現在は近代的な建物となり、八戸市糠塚に存在しているのである。(35)

(3) 八戸書籍縦覧所研究事始

以下、八戸書籍縦覧所の研究に着手する場合の注意点をいくつか指摘しておく。まず参考になるのは、八戸市立図書館所蔵の一次資料にもとづき、大仲間・小仲間の存在を詳らかにし、かつ大仲間から八戸書籍縦覧所を経て八戸市立図書館に至るまでの歴史を通史的に叙述した『百年史』である。同書には八戸書籍縦覧所関連資料がいくつか翻刻されており、その後の研究の基礎を築いたという意味でも特筆される。ただし、『百年史』刊行以降の新出資料によって明らかとなった事実もあり、読む場合に注意すべき点がある。例えば、『百年史』は小仲間の前身に「書物仲間」という組織があったと措定し、その組織が大仲間に先行して成立していたと述べているが、(36)管見の限り、大仲間成立以前に「書物仲間」があったとする根拠は薄弱であり、小仲間の活動も天保期以前までさかのぼることはできない。逆に、大仲間の活動は様々な資料から少なくとも宝暦三年までさかのぼれることからすると、大仲間成立後に小仲間が成立したと考えるのが自然である。それは、明治初期の地誌『八戸聞見録』の「初藩ノ頃ニ家臣ノ学ニ志アル者三十七名ニテ一ノ仲間ヲ結ヒ年々若干ノ金ヲ集メ和漢ノ書籍ヲ買入レタリ、其書籍ヲ家老ノ邸ニ預ケ、買仲間ノ者之ヲ借リテ互ニ閲覧シ来レリ、其後一ノ仲間出来シテ絵草紙・小説物等、衆人ノ解シ易キ書ヲ取入レシ者アリ、夫故ニ甲ヲ大仲間ト言ヒ、乙ヲ小仲間ト言フ」という記述とも合致する。(37)これらのことを踏まえれば、『百年史』は《書物仲間＝小仲間→大仲間》という歴史観に注意しつつ参照する必要があると言えよう。

もっとも、前述の地誌『八戸聞見録』の記事も全面的には信用できない。例えば、『八戸聞見録』は大仲間の蔵書が「家老ノ邸」に預けられていたとしており、大仲間の蔵書を収納・保管する場所があったかのように書かれている。しかし、そもそも、『八戸聞見録』の編者・渡辺村男は九州の柳川立花家（表高一〇九、六四七石・大広間席）の家臣であり、『八戸聞見録』の情報源は関係者からの聞書などであるため、必ずしも正確な記述がなされていたとは限らない。(38)また、管見の限り、大仲間の蔵書が「家老ノ邸」に預けられていた形跡も見出せない。むしろ、大仲間構成員の一人・新宮文之進の覚書「仲ケ間書物会宿書留」からは、「追加定目帳」の規定に従い、文化七年（一八一〇）三月に仲間書物の「書物寄」「内改」などを実施した際、他の構成員に「銘々御預書物」を遣わすよう頼んでいたことが確認できるため、(39)基本的に大仲間の仲間書物は構成員が各自で預かっていたと考えられる。よって、『八戸聞見録』の記事は貴重なものであるが、他の資料との整合性を考慮して用いる必要があろう。

もう一つ、『百年史』には、八戸書籍館併設などの「図書館活動」が明治一〇年代に盛んであったのは「若者たちの知識欲」に起因していると記されているが、(40)それ以外の政治的要因についても考慮する必要がある。もちろん、『百年史』は明治政府の文教政策と八戸書籍館併設の関連に言及しており、政治的要因を踏まえていないわけではないが、推論の域にとどまっている。しかし、八戸書籍館併設は八戸書籍縦覧所の無料公開化の画期となっており、公共図書館の理念への接近の契機を考える上でも重要な点であるため、より詳しい分析が求められる。そもそも、八戸書籍館から文部省へ提出された書類の下書⑫「八戸書籍縦覧所」には「明治十三年五月乙第百六号学務心得公布ニ拠リ八戸町外七十二ケ村連合書籍縦覧所借用設立」とあり、(41)八戸書籍館併設の法的根拠が「乙第百六号学務心得」であったことが読み取れる。「乙第百六号学務心得」とは、明治一三年五月一三日に青森県令・山田秀典（一八三六～一八八二）から郡役所・戸長役場・公立学校・学務委員・教督へ伝えられた通達であり、具体的な法的根拠の条文は

第四章・第九・一〇条を指す。[42] そして、この「乙第百六号学務心得」自体、当時の文部大輔・田中不二麿（一八四五～一九〇九）によって起草され、明治一二年（一八七九）九月に公布された教育令を受けて出されたものであったことを踏まえれば、[43] 八戸書籍縦覧所公共化の一因は明治一二年公布の教育令にあったと評価できる。

なお、元々、教育令の起草者・不二麿は欧米視察時の知見にもとづき、国家の発展のためには民衆の自奮を促す必要があるとし、そのための方策の一つとして小学校「教則」編成の自由化を目指していた。同時に、無料公開を原則とする「公共書籍館」を小学校教育の「補助」施設として位置づけ、その自由な「教則」編成を支える制度を構築しようと模索していた。[44] そこで、まず明治五年（一八七二）九月四日の学制公布直後、小学校教育の教科課程・教授方法の基本方針を示すものとして布達されていた小学教則を明治一一年（一八七八）五月に廃止し、小学校「教則」編成の自由化を促すことにした。その後公布された教育令は、明治政府内での意見対立を踏まえて制定されたものであったため、図書館無料公開の原則が明記されることはなかったが、「町村人民ノ選挙」で選ばれた「学務委員」を「学校事務」全般の管理者と定めており、「学務委員」に小学校教育の「補助」を担わせていたことがうかがえる。[45] 実際、青森県「学務心得」第四章・第九条では、不二麿の意図をより具体化して「教科書ヲ撰択スルニ参考閲検ノ用書ニ乏シキハ各郡大抵同一ノ状況トス、故ニ毎郡学務委員ハ郡内便宜ノ地ヲトシ、小書籍館ヲ設立シテ小学ニ用ユヘキ群書并器械ヲモ新古洩サス之ヲ本館ニ蒐集シ蔵メ、臨時教則取調局トシ、展閲撰択遺憾ナキヲ要ス」と定め、小学校「教則」編成に必要な「小書籍館」創設の権限を「学務委員」に与えていたことが読み取れる。しかも、同章・第一〇条には「教科書撰定ニ付設置スル公立小書籍館ノ経費ハ各郡内町村ノ公費ヲ以テ支弁スヘシ」ともあり、[46] 小学校「教則」編成に必要な「小書籍館」の経費は「各郡内町村ノ公費」でまかなうべきものとされていたことが確認できる。その上、先述の書類の下書⑫には「社則ニ拠リ所蔵ノ図書及漸次購求之新書ヲシテ各村落ノ小学校ニ広ク之ヲ貸与シ学事ノ進歩ヲ裨補セントスルモノナリ」「教則編製等ニ参考可相成書籍并其他種々購求」とあり[47]、八戸書籍館の具体的な役割が小学校「教則編製」などに必要な書物を収集・公開することであったこともうかがえる。これらのことから、八戸書籍館は不二磨の意図にもとづき、教育令公布を契機として創設された公共図書館の一つであったと位置づけられる。八戸書籍館「幹事」全員が「学務委員」を兼任していたことからも、八戸書籍館併設ないし八戸書籍縦覧所公共化が教育令公布と密接な関係にあったことが裏づけられる。

補足しておくと、明治一二年の教育令公布を契機として創設され、小学校「教則」編成に役立てられていた「小書籍館」は八戸書籍館に限定されない。例えば、明治一三年九月には青森県三戸郡五戸村（現五戸町）公立五戸書籍館が「小学教則編製ノ参考ニ供センカ為メ」に創設されており[48]、八戸書籍館と同様の目的で創設されたことが確認できる。また、同年一〇月には「三戸通学務委員」三人が青森県三戸郡三戸在府小路町（現三戸町在府小路町）公立三戸書籍館の「幹事」を選定しており[49]、八戸書籍館・五戸書籍館と類似の性格を有していたことがうかがえる。これらのことを踏まえれば、特に青森県では明治一二年の教育令公布や明治一三年の「学務心得」通達を契機として小学校教育の「補助」施設「小書籍館」の設置が促されており、その「小書籍館」の一つが八戸書籍館であったと思われる。ただし、明治一三年一二月に教育令は早くも改正され、小学校「教則」編成の役割を「学務委員」に委ねる体制自体が崩れてしまったため、その時点で八戸書籍館・五戸書籍館・三戸書籍館の法的根拠は半ば失われていたと考えられる。実際、五戸書籍館廃館時、『文部省第十一年報』には「教育令ノ改正アルニ当リ、教則ノ編製ハ人民ニ任スヘカラサルヲ以テ頓ニ其必要ヲ空クスルニ至レル」とあり[50]、教育令改正が廃館の直接的な契機となっていたことがうかがえる。明治一六年七月、旧薩摩藩「郷士」磯長得三（一八四九～一九二三）が鹿児島県大隅郡川北村（現同県肝属郡南大隅町）私立根占書籍館を創設した際、文部省が「小学校教育上ニ多少ノ影響有之」として「目的規則等」の調査を行わせていることからしても、[51]当然のことながら、教育令改正の影響は日本全国に及んでいたと推察される。よって、明治二〇年の八戸書籍館「閉止」も必然であったと思われるが、明治三二年（一八九七）一一月公布の図書館令で「閲覧料」の徴収が認められ、帝国図書館（明治五年創設の東京書籍館の後身／国立国会図書館の前身の一つ）ですら「閲覧料」を徴収していたことを踏まえれば、[52]八戸書籍縦覧所が八戸書籍館併設以降「観覧料」を徴収していなかった点は明治一二年教育令の希有な思想的残滓として評価できよう。

2　本書収録資料の紹介

(1) 第1巻収録資料の概要

では、いよいよ本書収録資料の紹介を始めたい。以下、巻毎に資料の概要を述べていく。

①**「仲間書物預順」（戸来家〈新井田〉文書55）**、一冊、横長帳、九六×一八二、計一八丁。

戸来家〈新井田〉文書は、平成二九年（二〇一七）に八戸市新井田の戸来元氏から八戸市立図書館へ寄贈された一三五点の文書群を指す。[53]元々、戸来家は盛岡南部家家臣であり、寛文四年の八戸南部家成立時、八戸南部家に仕えることとなった分家がいくつか存在しているが、右の文書群は戸来宇内秀伴（後称：一学／?～一七三二）を祖とする家の文書群である。「仲間書物預順」については、記載内容から大仲間の蔵書目録と考えられる。同資料には作成時期が明記されていないが、帳面に大仲間構成員の一人として船越寛五右衛門の名前が記されていることは興味深い。八戸南部家「勤功帳」の寛五右衛門の項目に「寛政十午年九月十九日、寛五右衛門忌中之内、嫡子・喜膳病死ニ付、御家法之通、身帯改易被　仰付」とあり、寛政一〇年九月以前に寛五右衛門が死去し、船越寛五右衛門家自体「改易」されていたことが確認できることからすると、「仲間書物預順」の作成時期は寛政一〇年（一七九八）九月以前と考えられる。また、帳面に松橋太蔵の名前が記されているが、「勤功帳」では、太蔵が「御給人」として召し抱えられたのは寛政一〇年二月三日とされているため、[54]それ以前に「仲間書物預順」が作成されたとは考えにくい。これらのことから、「仲間書物預順」は寛政一〇年頃に作成されたと推定でき、管見の限り、最古の大仲間の蔵書目録として位置づけられる。ここで詳細な分析は行わないが、「仲間書物預順」から寛政一〇年時点で既に大仲間構成員が四三人になっていたことが確認できるため、大仲間構成員の人数は寛政期から変動していなかったと評価し直すこともできる。夥しい抹消痕・加筆・貼紙があり、元々の帳面の記述が判断できないほどになっているが、詳しく分析していけば、構成員および仲間書物・外預書物の変遷を明らかにすることが可能であろう。

ちなみに、「仲間書物預順」には作成者の記載がなく、戸来家〈新井田〉文書にふくまれることとなった経緯は未詳である。ただし、天保期頃に戸来宇内家当主が大仲間構成員となっていたことが確認できているため、大仲間の蔵書を把握・利用するために作成されていたものを、他の構成員から継承したのではないかと推察される。

②「八戸仲間書物記」（荒木田家文書366）、一冊、竪帳、二三・一×一七・〇、計四一丁。

荒木田家文書は、現在、八戸市立図書館に所蔵されている八戸南部家家臣・荒木田彦右衛門家の文書群である。「八戸仲間書物記」については、記載内容から大仲間の蔵書目録と考えられる。①「仲間書物預順」と同様、作成時期が明記されていないが、大仲間構成員の一人として斎藤曽治の名前が記載されているのは手がかりとなる。「勤功帳」の曽治の項目に「文政十三寅年五月十七日、亡父跡式地形六拾石・金成四拾石被　仰付」とあり、文政一三年（一八三〇）五月一七日に曽治が家督を継承したことが確認できるため、「八戸仲間書物記」の作成時期は文政一三年五月以降と推察される（文政一三年五月以前となれば、曽治の父・斎藤運蔵の名前が記載されていなければ不自然である）。また、帳面に大槻藤右衛門の名前が記されているが、「勤功帳」では、藤右衛門が隠居したのは天保三年（一八三二）六月二五日とされているため、(55)それ以前に作成された可能性が高い。これらのことから、「八戸仲間書物記」は文政一三年から天保三年までの間に作成されたと推定できる。文政一三年自体、一二月に天保へと改元されていることを踏まえれば、天保初期（一八三〇～一八三二）に作成されたとも言えよう。

なお、「八戸仲間書物記」には作成者の記載がなく、荒木田家当主が大仲間構成員の一人として記されているわけでもないため、荒木田家文書にふくまれることとなった経緯は未詳である。ただし、①「仲間書物預順」に大仲間構成員の一人として荒木田登の名前が加筆されていることからすると、荒木田家も一時的に大仲間に関係していたと思われるため、大仲間の蔵書を把握・利用するために筆写されたものではないかと推察される。

③**「仲間書物目録」（中里家〈根城〉文書33）、一冊、横長帳、一七二×四八六、計二五丁。**

中里家〈根城〉文書は、平成一二年（二〇〇〇）度に八戸市根城の中里俊夫氏から八戸市立図書館へ寄贈されたものを中心とする四六三点の文書群である。(56) 元々、中里家は八戸南部家初代当主・左衛門佐直房（一六二八〜一六六八）の母の実家であり、寛文四年の八戸南部家成立以降は数家が重臣として仕えていた。そのうちの中里清右衛門家が右の文書群の原所蔵者である。近世中期以降、中里清右衛門家は八戸南部家中最大の給知四〇三石六斗五合を与えられており、歴代当主は家老として活躍していた。(57)「仲間書物目録」については、慶応元年七月に作成された大仲間の蔵書目録（扣）である。管見の限り、中里清右衛門家は一貫して大仲間構成員であり続けていたため、「仲間書物目録」は幕末期の当主が作成したものではないかと思われる。作成時期が明記されており、幕末期の大仲間の状況が確定できる貴重な資料と言える。現所蔵地は不明であるが、既に翻刻・刊行されている天保一四年（一八四三）一二月作成の大仲間蔵書目録「御仲間書物目録」と組み合わせれば、(58) 近世後期の大仲間の構成員・蔵書の変遷がうかがえよう。

④**「書物改目録」（新宮家〈購入〉文書48）、一冊、横長帳、一二八×三四六、計六丁。**

新宮家〈購入〉文書は、平成一五年（二〇〇三）度に八戸市史編纂事業の一環として購入され、八戸市立図書館に所蔵されることとなった一〇四点の新宮家関連資料を指す。(59) 新宮家は八戸南部家五代目当主・信興の六男・新宮七郎右衛門興春（一七六一〜？）を祖とする家であり、実質的に八戸南部家一門と言っても差し支えない家柄である。(60)「書物改目録」については、明治三年二月中旬に作成された蔵書目録である。記載内容から作成者を大仲間構成員・新宮家と推定できるものであり、大仲間構成員の蔵書分類意識が読み取れる重要な資料と考えられる。

⑤「（書物目録）」（遠山家旧蔵本1—1）、一冊、横半帳、一八二×一二二、計八〇丁（挟紙一枚）。

遠山家旧蔵本は、昭和四九年に遠山景敏氏から八戸市へ寄贈され、現在、八戸市立図書館に所蔵されている一、六七五点の文書群を指す。(61) 遠山家は、元禄八年（一六九五）に北条流軍学師範として召し抱えられた遠山庄太夫景松（?～一七一二）を祖とする家であり、江戸勤番など様々な役務に就いていた。「（書物目録）」については、記載内容から小仲間の蔵書目録と考えられる。同資料には作成時期が明記されていないが、合冊されている「町仲間書物目録」の作成時期が天保六年一二月とされているため、天保六年頃に作成されたものではないかと推定される。作成者未詳であり、かつ後欠となっているものの、小仲間の全体像が垣間見える唯一の資料である。管見の限り、遠山家が小仲間に関与していた形跡はうかがえず、「（書物目録）」が遠山家文書にふくまれることとなった経緯は不明である。

⑥「仲間書物預本牒」（八戸南部家文書10—14—0—0—10）、一冊、横長帳、一五四×三九六、計九丁。

八戸南部家文書は、第二次世界大戦（アジア・太平洋戦争）終結後、八戸市の郷土史家・上杉修氏（一八九七～一九七九）が八戸南部家から購入した資料を中心とする文書群であり、昭和六〇年（一九八五）に八戸市立図書館へ寄贈されたものを指す。大部分は八戸南部家の資料であるが、上杉氏が独自に収集した資料も一部ふくまれているため、注意が必要である。「仲間書物預本牒」については、安政二年九月に作成された小仲間の蔵書目録である（翻刻文は『百年史』に掲載）。後欠ではあるものの、希少な小仲間関連資料である。ただし、『百年史』によると、「仲間書物預本牒」は「ばらばらになっていたもの」を上杉修氏が探し出して綴り合せたものであるらしく、(62) 多少注意して読む必要がある。小仲間自体、八戸南部家との関係が希薄であり、その関連資料が八戸南部家文書にふくまれていたとは考えにくいことからすると、「仲間書物預本牒」は上杉氏の収集資料ではないかと推察される。

⑦**「学校江御預御書物目録」（八戸南部家文書5—10—0—0—2）、一冊、竪帳、二四〇×一七二、計六丁。**

天保三年閏一一月に八戸南部家から藩校「学校」へ貸与された書物の目録。大仲間から蔵書の一部を貸与されていた学校の性格を考察する上で参考になる貴重な資料である（翻刻文は『百年史』に掲載）[63]。なお、同資料に記載されている唐本『十三経』一三〇冊・唐本『五経大全』七〇冊・『漢書評林』五〇冊・『後漢書』六一冊など、ほぼ全ての書物は後述の「御納戸」の蔵書目録にも記載されており、学校と「御納戸」の密接な関係がうかがえる。

(2) 第2巻収録資料の概要

⑧**「御書籍目録」（八戸南部家文書2—12—0—0—13）、一冊、竪帳、三三四×二四二、計八〇丁。**

万延元年（一八六〇）一〇月に作成された八戸南部家「御納戸」の蔵書目録である。大仲間との間で蔵書の一部を融通し合い、八戸書籍縦覧所の蔵書の淵源の一つともなった八戸南部家の蔵書の全体像がうかがえる重要な資料である。ただし、八戸南部家では甲斐源氏の由緒にもとづき、甲州流軍学を「御家流軍学」に定め、重んじていたにもかかわらず、その伝書は記載されていない。同様に、八戸南部家では様々な武芸が学ばれていたにもかかわらず、それらの伝書も記載されていない[64]。また、嘉永七年（一八五四）九月に八戸南部家へ献上された甲州流軍学の伝書の目録「御家流御書籍目録」が存在しているが[65]、その目録にある書物の大半が「御書籍目録」に記載されていないことからすると、武芸・兵学の伝書は別置されていたと思われる。なお、「御書籍目録」は⑨「御書籍目録」と内容的に共通する部分が多いが、本箱・長持毎に区分されており、蔵書の保管状況がわかる点に独自性がある。

⑨「御書籍目録」（南部家旧蔵本1—4）、一冊、竪帳、二七二×一九〇、計五六丁。

南部家旧蔵本は、昭和四二年（一九六七）に八戸南部家から八戸市へ寄贈され、現在、八戸市立図書館に所蔵されている文書群を指す（八戸南部家文書とは寄贈に至る経緯が異なる）。「御書籍目録」については、文久三年（一八六三）二月に作成された八戸南部家「御納戸」の蔵書目録である。⑧「御書籍目録」と内容的に共通する部分が多いものの、文久二年（一八六二）に「御下相成候分」蔵書三六部（五丁）の項目があり、その点に独自性がある。

⑩「瓦屋根御井楼 御日記入ノ御場所 御本類御目録」（八戸南部家文書13—1—9—0—14）、一冊、横長帳、一二二×三三〇、計一五丁。

明治三七年（一九〇四）一一月に作成された八戸南部家の蔵書目録。同資料には武芸・兵学の伝書も少なからず記載されているため、旧「御納戸」以外の蔵書もふくまれていると考えられるが、唐本『五経大全』七〇冊・『古今事文類聚』一〇〇冊・『令義解』一一冊などの旧「御納戸」の蔵書が継承されていたことが確認できる。また、同時に近世・近代移行期の蔵書の変化がうかがえる重要な資料と見なすこともできる。

なお、「御本類御目録」を⑧「御書籍目録」・⑨「御書籍目録」と組み合わせると、近世社会において万人の平等を説いた希有な思想家として知られる安藤昌益（一七〇三～一七六二）の著書『自然真営道』が旧「御納戸」の蔵書にふくまれており、明治期以降も継承されていたことが確認できる。その書物の行方もまた気になるところである。

（3）第3巻収録資料の概要

⑪「（書籍縦覧場設立趣意書）」（逸見家〈購入〉文書10）、一冊、竪帳、二七四×一九六、計二丁。

逸見家〈購入〉文書とは、平成一一年（一九九九）度に八戸市史編纂事業の一環として購入され、八戸市立図書館に所蔵されることとなった一二一点の逸見家関連資料を指す[66]。逸見家は八戸南部家五代目当主・信興の五男・逸見純右衛門興喜（一七六一～？）を祖とする家であり、新宮家と同様、実質的に八戸南部家一門と言っても差し支えない家柄である[67]。「（書籍縦覧場設立趣意書）」は、八戸書籍縦覧所の運営団体「弘観社」＝弘観舎の創設時に作成された趣意書・規則（翻刻文は『新編八戸市史 近現代資料編Ⅰ』に掲載）[68]。同資料には「旧主家南部二代ノ祖・直政君ノ遠慮ニ因リ大仲間ヲシテ万巻ノ書籍ヲ貯蓄セシメ百数十年来連綿今日ノ域ニ到リ、我八戸中普ク智識ヲ開ク者、噫呼、誰カ此恩沢ヲ蒙ラサル者アランヤ、然リ而シテ今又栄信君ヨリ一荘舎ヲ賜フ、之レニ遍（ママ）シテ弘観舎トス」という形で大仲間と八戸書籍縦覧所の組織的連続性が明示されており、貴重である。なお、逸見家〈購入〉文書にふくまれているのは、八戸書籍縦覧所創設の主導者・逸見興長が逸見家の一員であったためと推察される。

補足しておくと、右の引用箇所では、八戸南部家二代目当主・直政の治世下に大仲間が成立し、現在に至っていると述べられているが、管見の限り、直政の治世下に大仲間が成立していたことを示す資料は見受けられない。ただし、直政は幼少期から幕儒・林鳳岡（一六四五～一七三二）に師事し、家臣にも読書を推奨していた経緯があるため[69]、大仲間という読書関連組織の祖として設定するに、この上なく相応しい人物であることは間違いない。

⑫「**八戸書籍縦覧所**」（**新宮家〈購入〉文書63**）、**一冊、綴、二四二×一七〇、計一八丁**。

八戸書籍縦覧所創設時の引継書類や文部省への報告書類（下書）などをまとめた資料。慶応二年（一八六六）の仲間書物・外預書物の「御改」時、大仲間構成員によって作成された「添目録」がいくつか合冊されており、近世書物貸借組織との連続性をうかがわせるものとなっている。また、同時に八戸書籍縦覧所・八戸書籍館の位置・景況・目的などが記されている重要な資料でもある（翻刻文は『新編八戸市史 近現代資料編Ⅰ』に掲載）(70)。

⑬「**弘観舎蔵書目録**」（**八戸市立図書館固有図書1―5**）、**一冊、竪帳、二六二×一九二、計八二丁**。

八戸市立図書館固有図書は、大仲間・八戸書籍縦覧所を経て受け継がれてきた蔵書の一部であり、八戸市立図書館の蔵書の「古層」とも言えるものである。「弘観舎蔵書目録」は、明治二九年（一八九六）一二月に八戸書籍縦覧所の運営団体・八戸青年会の図書局が作成した蔵書目録（翻刻文は『百年史』に掲載）(71)。明治二八年に弘観舎から八戸青年会へ移管された蔵書の構成がうかがえる貴重な資料であり、『性理字義』二冊・『性理大全』五一冊・『漢書評林』五〇冊・『七書講義』一五冊など大仲間由来の蔵書が依然として多くふくまれていたことが確認できる。

⑭「**八戸青年会寄贈書籍目録**」（**近・現代資料7**）、**一冊、竪帳、二七二×一九六、計九〇丁**。

近・現代資料は、平成二三年（二〇一一）に八戸市立図書館内の未整理資料を分類した文書群。「八戸青年会寄贈書籍目録」については、明治四四年一〇月の八戸青年会「休会」後、同会が「八戸図書館」に寄贈した書物の目録である（翻刻文は『百年史』に掲載[72]）。⑬「弘観舎蔵書目録」の蔵書構成とは明確に異なっており、青少年教育に役立つ明治期以降の書物が比較的多い。八戸青年会が独自に収集・保存・公開していた蔵書の目録と考えられる。

⑮「八戸青年会員名簿」（八戸青年会文庫14―161）、一冊、竪帳、二三五×一六八、計一六丁。

八戸青年会文庫は、現在、八戸市立図書館に所蔵されている八戸青年会の関連資料である。「八戸青年会員名簿」については、明治二八年以降、八戸書籍縦覧所の運営団体となった八戸青年会の会員名簿。明治二三年（一八九〇）八月に改正されたものであり、湊忠康・北村益など、初期メンバーの構成がうかがえる重要な資料である。厳密に言えば、八戸市立図書館には、明治二三年以降の加入者をふくめて作成された八戸青年会の会員名簿も残存しているが[73]、加筆修正が多く、同一時期の会員の総数がうかがいにくかったため、右の資料をピックアップし、収録した。

なお、「八戸青年会員名簿」からは八七人の「会員」と一一人の「賛助員」の存在が確認できるが、後に「会員」「賛助員」は「特別賛助員」「賛助員」「補賛員」「正員」「講武員」へ細分化されていく。「第廿参回定期総集会報告書」によると、明治四四年四月一六日時点で合計三七七人（内死亡者八七人）となっていたことが確認できる[74]。

おわりに

以上、大仲間・小仲間・八戸書籍縦覧所の概要や本書収録資料の概要などを述べてきた。しかし、依然として不明な点が多く残されている。また、先述の新宮文之進の覚書「仲ケ間書物会宿書留」や[75]、八戸南部家家臣・石橋庄蔵英寿（一七五〇〜一七七七）が大仲間の蔵書の共同利用権を獲得した際の証文(76)、大仲間・小仲間の双方に関与していた八戸南部家家臣・吉岡家の資料など(77)、八戸市立図書館には本書収録資料以外にも八戸書籍縦覧所関連資料が多数残されているため、本書をきっかけにして八戸書籍縦覧所、ひいては八戸市立図書館に興味をもつものが増えてくれることを望んでいる。そして、実際に八戸市立図書館所蔵資料に触れ、大仲間・小仲間・八戸書籍縦覧所を事例にして近世書物貸借組織・近代公共図書館について研究してくれるものが出てくることを期待している。

【註】

（1）拙著『近世豪商・豪農の〈家〉経営と書物受容』（勉誠出版、二〇二〇年）。

（2）長倉美恵子・永田治樹・日本図書館協会国際交流事業委員会訳「ユネスコ公共図書館宣言二〇二二」（『図書館雑誌』一一七（六）、二〇二三年）。

（3）前掲拙著（二〇二〇年）。

（4）「稽古所造立書上」13—1—11—0—20（「八戸南部家文書」八戸市立図書館所蔵）には、学校は明治三年四月に「兵防館」へ改められ、「実用之学芸」のみ採択・教授されるようになったと記されているが、学校と藩学校の組織的連続性については言及されていない。しかし、「旧八戸藩学制沿革取調写」13—1—11—0—7（「八戸南部家文書」八戸市立図書館所蔵）を見てみると、両者は特に区別されていないため、本稿では学校の代替施設として藩学校を位置づけ直した。

（5）拙稿「明治期地方書籍館の「知」」（『歴史学研究』一〇三一、二〇二三年）。

（6）「仲ケ間書物会宿書留」二五一（「小林家〈小中野〉収集文書」八戸市立図書館所蔵）。

（7）前掲拙稿（二〇二三年）。

（8）「書物目録」1—1（「遠山家旧蔵本」八戸市立図書館所蔵）。小仲間の構成員総数の下限値は前掲拙著（二〇二〇年）で

既に示していたが、資料を読み直したところ、単純な数え間違いがあったことに気づいたため、改めて正確な下限値を記しておいた。

(9) 前掲拙著(二〇二〇年)。

(10) 前掲拙稿(二〇二三年)。

(11) 渡辺村男・北村益編『八戸聞見録』(八戸聞見録頒布会、一九四四年)。

(12) 前掲「書物目録」。小仲間の基礎情報は前掲拙著(二〇二〇年)で既に表示していたが、資料を読み直したところ、単純な数え間違いが散見していることに気づいた。その点を補正し、改めて表示したものが【図表⑥】である。拙著(二〇二〇年)では「見料」のみを支払っていたものの人数・割合も記していたが、それらの数値は補正後もほとんど変化しないため、本稿では省略した。

(13) 「仲間書物目録」33(「中里家〈根城〉文書」八戸市立図書館所蔵)。前掲註(8)と同様、大仲間の仲間書物・外預書物の部数・冊数も前掲拙著(二〇二〇年)に既に示していたが、資料を読み直したところ、単純な数え間違いがあったことに気づいたため、改めて正確な数値を記しておいた。

(14) 前掲拙稿(二〇二三年)。

(15) 八戸市立図書館編『八戸市立図書館百年史』(八戸市立図書館、一九七四年)。

(16) 前掲拙稿(二〇二三年)。

(17) 前掲拙稿(二〇二三年)では「「幹事・学務委員」兼任者二名の居住地が旧盛岡藩領の田面木村・浜通村であったことに注目すれば、八戸書籍館の運営者は「旧八戸藩士族」に限定されていなかったと思われる」と述べていたが、後に田面木村・浜通村が旧八戸藩領であったことに気づいたため、この場を借りて訂正したい。よって、八戸書籍館の運営者が「旧八戸藩士族」に限定されていなかったとは言えないが、明治五年の学制公布以降、三戸郡全域が第一七中学区に属し、旧八戸藩領の八戸書籍館の関係者と旧盛岡藩領の五戸書籍館・三戸書籍館の関係者の間に明確な接点があったことは確認できているため、八戸書籍館創設の一因として旧盛岡藩領の人びととの意見交換があった可能性は指摘できる。

(18) 前掲拙稿（二〇二三年）。
(19) 八戸市立図書館編前掲書（一九七四年）。
(20) 「愚狂日誌」25（「船越家〈新井田〉文書」八戸市立図書館所蔵）。
(21) 大島英介編『小田為綱資料集』（小田為綱資料集刊行委員会、一九九二年）。
(22) 大島編前掲書（一九九二年）。
(23) 「前編 空眼雑録 一〜十」14―150（「八戸青年会文庫」八戸市立図書館所蔵）。
(24) 大蔵省印刷局編『官報』第七六二二号（大蔵省印刷局、一九〇八年）。
(25) 『八戸青年会規則』14―9（「八戸青年会文庫」八戸市立図書館所蔵）。
(26) 前掲「前編 空眼雑録 一〜十」。
(27) 前掲「愚狂日誌」。
(28) 「会員履歴簿」14―61（「八戸青年会文庫」八戸市立図書館所蔵）。
(29) 『八戸青年会図書館規程』14―13（「八戸青年会文庫」八戸市立図書館所蔵）。
(30) 前掲拙稿（二〇二三年）。
(31) 前掲拙稿（二〇二三年）。
(32) 八戸市立図書館編前掲書（一九七四年）。
(33) 前掲拙稿（二〇二三年）。
(34) 「定期総集会報告書」14―80（「八戸青年会文庫」八戸市立図書館所蔵）。
(35) 八戸市史編纂委員会編『新編八戸市史 通史編III 近現代』（八戸市、二〇一四年）。
(36) 八戸市立図書館編前掲書（一九七四年）。
(37) 渡辺・北村編前掲書（一九四四年）。
(38) 田名部清一『「八戸聞見録」著者 渡辺村男について』（田名部清一、二〇〇一年）。

(39) 前掲「仲ケ間書物会宿書留」。
(40) 八戸市立図書館編前掲書（一九七四年）。
(41) 「八戸書籍縦覧所」63（「市史編纂室収集文書（平成16年度）」八戸市立図書館所蔵）。
(42) 青森県教育史編集委員会編『青森県教育史 第三巻 資料篇1』（青森県教育委員会、一九七〇年）。
(43) 伊東達也『苦学と立身と図書館』（青弓社、二〇二〇年）。
(44) 伊東前掲書（二〇二〇年）。
(45) 森川輝紀『教育勅語への道』（三元社、一九九〇年）など。
(46) 青森県教育史編集委員会編前掲書（一九七〇年）。
(47) 前掲「八戸書籍縦覧所」。
(48) 文部省編『文部省第十一年報』（文部省、一八八五年）。
(49) 青森県立図書館編『解題書目第一六集 万日記抄五』（青森県立図書館、一九八六年）。
(50) 文部省編前掲書（一八八五年）。
(51) 田島秀隆「根占書籍館の起源（『図書館学』二二、一九七三年）。
(52) 長尾宗典『帝国図書館』（中公新書、二〇二三年）。
(53) 八戸市立図書館編『八戸市立図書館収集文書目録～第1集』（八戸市立図書館、二〇一八年）。
(54) 「勤功帳」複写本一～四五（八戸市立図書館所蔵）。
(55) 前掲「勤功帳」。
(56) 八戸市史編纂室編『八戸市史収集文書目録～第2集～』（八戸市史編纂室、二〇〇五年）。
(57) 軽米町教育委員会編『軽米の古文書 第2集（野田家文書）』（軽米町教育委員会、一九九七年）。
(58) 八戸市史編纂室編『八戸市史収集文書目録～第8集』（八戸市史編纂室、二〇一一年）。
(59) 八戸市立図書館市史編纂室編『八戸藩系譜書上』（八戸市、二〇〇一年）。

(60)「(新宮家由緒書)」13―1―14―0―2(「八戸南部家文書」八戸市立図書館所蔵)。
(61)八戸市立図書館編『八戸の歴史双書 八戸藩遠山家日記 第十一巻』(八戸市、二〇二二年)。
(63)八戸市立図書館編前掲書(一九七四年)。
(63)八戸市立図書館編前掲書(一九七四年)。
(64)太田尚充『八戸藩の武芸』(八戸市、二〇〇三年)。
(65)八戸市史編纂室編『八戸市史収集文書目録~第4集』(八戸市史編纂室、二〇〇七年)。
(66)「(逸見興長書留帳)」四七(「逸見興長家文書」八戸市立図書館所蔵)。
(67)「御家流御書籍目録」2―12―0―0―10(「八戸南部家文書」八戸市立図書館所蔵)。
(68)八戸市史編纂委員会編『新編八戸市史 近現代資料編Ⅰ』(八戸市、二〇〇七年)。
(69)拙稿「「別家」意識の成立と展開」(『八戸市博物館研究紀要』三三、二〇二〇年)。
(70)八戸市史編纂委員会編前掲書(二〇〇七年)。
(71)八戸市立図書館編前掲書(一九七四年)。
(72)八戸市立図書館編前掲書(一九七四年)。
(73)「八戸青年会員名簿」14―162(「八戸青年会文庫」八戸市立図書館所蔵)。
(74)前掲「定期総集会報告書」。
(75)前掲「仲ヶ間書物会宿書留」。
(76)「書物無尽永代売券状之事」〇一N九―一(「西町屋文書」八戸市博物館所蔵)。
(77)「預印紙之事」125(「吉岡家文書」八戸市立図書館所蔵)。

【編者・執筆者紹介】

鈴木 淳世（すずき・よしとき）

1983年生まれ。2016年一橋大学大学院社会学研究科博士後期課程修了。現在、東北大学東北アジア研究センター上廣歴史資料学研究部門学術研究員。博士（社会学）。専門は日本近世史・思想史。

［主な著書・論文］

「「国産」政策の「御救」機能」（『歴史』第133輯、2019年）、『近世豪商・豪農の〈家〉経営と書物受容』（勉誠出版、2020年）、「「別家」意識の成立と展開」（『八戸市博物館研究紀要』第33号、2020年）、「徳島藩組頭庄屋の風俗統制」（小酒井大悟・渡辺尚志編『近世村の生活史』、清文堂出版、2020年）、「明治期地方書籍館の「知」」（『歴史学研究』№1031、2023年）ほか。

書誌書目シリーズ125
八戸書籍縦覧所関連資料
—日本最古級の図書館・八戸市立図書館の源流
第三巻　弘観舎・八戸青年会関連資料

二〇二四年十一月十五日　印刷
二〇二四年十一月二十七日　発行

編集・解説　鈴木淳世
発行者　鈴木一行
発行所　株式会社ゆまに書房
〒一〇一―〇〇四七
東京都千代田区内神田二―七―六
電話〇三（五二九六）〇四九一（代表）
印刷　株式会社平河工業社
製本　東和製本株式会社
組版　有限会社ぷりんてぃあ第二

◆落丁本・乱丁本はお取替えいたします。

定価：本体20,000円＋税

ISBN978-4-8433-6871-8 C3300